L'AUBERGE DES ANIMAUX

Un cochon dans la maison

L'AUBERGE DES ANIMAUX

Tome VI

Un cochon dans la maison

Virginia Vail

Traduit de l'anglais par
Dominique Chauveau

Données de catalogage avant publication (Canada)

Vail, Virginia

Un cochon dans la maison

L'auberge des animaux ; 6).
Traduction de: All the way home.
Pour enfants.

ISBN 2-7625-4463-7

I. Titre. II. Collection: Vail, Virginia L'auberge des animaux ; 6.

PZ26.3.V34Co 1989 j813'.54 C89-096040-2

Publié par Scholastic, Inc., New York

Version française

Dépôts légaux: ler trimestre 1989
Bibliothèque nationale du Québec
Bibliothèque nationale du Canada

ISBN: 2-7625-4463-7 Imprimé au Canada

Photocomposition: Deval Studiolitho Inc.

LES ÉDITIONS HÉRITAGE INC.
300, Arran, Saint-Lambert, Québec J4R 1K5
(514) 875-0327

CHAPITRE
1

— Ça va, monsieur Riendeau, vous pouvez rentrer avec Prince.

Valérie Tremblay eut de la difficulté à ne pas trébucher quand le robuste boxer se précipita vers son maître. Lorsque le chien avait été admis à l'Auberge des animaux, il souffrait d'une inflammation qui le faisait terriblement boiter. Mais aujourd'hui, complètement guéri, Prince était aussi vif qu'un jeune chiot.

Monsieur Riendeau prit la laisse, caressa la tête lisse du boxer et lui ordonna de s'asseoir.

— Merci, Valérie. Remercie aussi ton père. J'étais certain que Prince boiterait pour le reste de sa vie. Dis au docteur Tremblay qu'il est le meilleur vétérinaire du Québec — peut-être même du Canada tout entier.

— Je n'y manquerai pas, monsieur Riendeau, répondit Valérie en souriant. Je suis de votre avis, moi aussi.

Elle ouvrit la porte de la salle d'attente pour laisser sortir monsieur Riendeau, puis la referma à clé. Ces éloges lui faisaient grand plaisir. Valérie était extrêmement fière de son père. Elle espérait simplement que, lorsqu'elle serait vétérinaire, elle serait capable de soigner les animaux blessés ou malades aussi bien que lui. Mais il lui restait encore un long chemin à parcourir. En attendant, elle apprenait le plus possible en travaillant aux côtés de son père le soir après l'école et les fins de semaine.

— Hé, Valérie, dépêchons-nous de nettoyer, j'ai beaucoup de devoirs ce soir.

Bruno Cloutier, l'autre assistant du docteur et un des meilleurs amis de Valérie, venait d'entrer dans la salle d'attente avec une vadrouille et un seau. Prince était le dernier client de la journée ; il fallait maintenant laver le plancher et les banquettes.

— D'accord.

Valérie bâilla et s'étira avant de prendre la vadrouille. Ç'avait été une journée très occupée à l'Auberge des animaux. Elle était fatiguée. Par contre, elle savait que le ménage faisait autant partie de son travail que d'aider son père à soigner les animaux. C'était la partie de son travail qu'elle aimait le moins, mais ça devait être fait.

— Je vais passer la vadrouille et toi, tu donnes un coup d'éponge, proposa Valérie.

Bruno prit l'éponge que Valérie lui tendait et commença à frotter les banquettes et les tables pendant que Valérie lavait le plancher.

Drrrriiinngg!

Le téléphone. Valérie regarda sa montre : dix-sept heures quinze. Ce devait être une urgence, pensa-t-elle en replaçant la vadrouille dans le seau et en courant répondre. Les heures de bureau de l'Auberge des animaux se terminaient habituellement à dix-sept heures. Quelqu'un qui appelait plus tard devait avoir une importante raison d'appeler — quelque chose qui exigerait du docteur une attention immédiate.

— L'Auberge des animaux, bonsoir, dit-elle après avoir décroché le combiné. Puis-je vous aider? Oh, bonjour monsieur Lupa. C'est Valérie... Oui, le docteur est encore ici. Qu'est-ce qui ne va pas?... Oh, là là! Je suis désolée d'apprendre ça. Tous?

— Qu'est-ce qu'il y a? demanda Bruno

Valérie recouvrit le microphone.

— C'est Lulu Lupa, la truie primée de monsieur Lupa, expliqua-t-elle à Bruno. Les petits de Lulu sont... Oui, oui, monsieur Lupa, je vous écoute. Oui, je l'inscris. Lulu a eu une portée de dix petits il y a six semaines. Ils ont tous du mal à respirer, ils cherchent leur souffle et ils refusent de manger. Lulu va bien, mais les petits... Oui, monsieur Lupa. Je lui fais le message immédiatement. Non, le docteur n'a pas de visites à faire ce soir, répondit-elle en vérifiant le cahier de rendez-vous. Nous devrions être à votre ferme dans environ une demi-heure, d'accord?... Bien. À tout de suite.

— Qu'est-ce qui arrive aux petits de Lulu? demanda Bruno en voyant Valérie raccrocher le combiné.

— Tu as compris ce que je viens de dire, non? Ils ont de la difficulté à respirer et ils ne veulent rien manger.

- Que comptes-tu faire?

— Eh bien, monsieur Lupa a peur qu'ils ne meurent. Nous devons tout de suite aller les voir. Je vais prévenir papa.

— Vas-y, dit Bruno, je vais finir le ménage. Étienne sera là d'une minute à l'autre ; il pourra m'aider.

Étienne s'occupait des animaux la nuit, à l'Auberge des animaux. Valérie l'aimait bien. Il lui faisait toujours penser à un lutin.

Valérie entra dans la salle d'examen. Son père s'y lavait les mains.

— Papa, expliqua-t-elle, je viens juste de recevoir un appel de monsieur Lupa. Tous les petits de la portée de Lulu sont malades. Monsieur Lupa voudrait que tu ailles le voir tout de suite.

— Très bien, répondit le docteur. Va chercher ma trousse, Valou, et viens me rejoindre à la camionnette.

Quelques minutes plus tard, Valérie était assise près de son père dans la camionnette de l'Auberge des animaux, et ils se dirigeaient vers la ferme de monsieur Lupa.

— Qu'est-ce que tu penses que les porcelets ont attrapé ? demanda Valérie.

— Je ne peux rien dire avant de les avoir examinés. Mais Zaccharie Lupa est un bon fermier. Il ne m'appelle jamais pour rien. J'ai l'impression que c'est le bordetella broniseptica. C'est une maladie respiratoire que l'on retrouve parfois chez les porcelets, surtout lorsqu'ils sont très jeunes, comme ceux de la portée de Lulu. Si ça attaque les poumons, ça peut dégénérer en pneumonie. Je suis surpris que les porcelets de monsieur Lupa l'aient attrapé. C'est la première fois qu'un cas pareil se produit à sa ferme.

— Vont-ils mourir?

— Pas nécessairement; et surtout pas si monsieur Lupa nous a prévenus à temps. Mais c'est très contagieux. S'il y a d'autres portées, dans la porcherie, elles peuvent être en danger, elles aussi.

Valérie se mordit la lèvre, espérant que son père puisse sauver la portée de Lulu. Lulu était une truie superbe. Valérie savait qu'elle serait vraiment bouleversée s'il fallait que ses petits aient une pneumonie et en meurent.

Monsieur Lupa les attendait. Il semblait soucieux.

— Par ici, docteur, dit-il. Comment ça va, Valérie? demanda-t-il à la jeune fille en lui souriant.

— Bien, merci monsieur Lupa, très bien.

Valérie suivit son père et monsieur Lupa à l'enclos de Lulu. La grosse truie reposait sur un lit de paille fraîche et dix petits cochons grassouillets étaient blottis contre elle, ou plutôt neuf petites boules et un petit avorton. Tous les cochonnets respiraient avec difficulté. Lulu ne semblait pas très heureuse, elle non plus.

— Je ne sais pas ce qu'ils ont, docteur, dit monsieur Lupa. Je n'ai jamais eu de problème semblable auparavant.

Le docteur entra dans l'enclos et commença à examiner les cochonnets. Valérie s'agenouilla à côté de lui, et caressa les petits corps roses. Ils n'arrêtaient pas de souffler et de tousser. Valérie était très peinée pour eux, surtout pour le petit avorton. Il était si petit qu'il semblait presque impossible qu'il puisse survivre à une maladie, quelle qu'elle soit. Monsieur Lupa était toujours anxieux.

— Ce n'est pas une pneumonie, docteur? demanda-t-il.

— Pas encore, répondit le docteur en secouant la tête. Mais ça pourrait tourner en pneumonie. C'est une bonne initiative de m'avoir appelé maintenant, Zaccharie. Valérie, apporte-moi des seringues hypodermiques et des antibiotiques. On va leur administrer à chacun une dose de sulfamides.

Valérie se dépêcha d'obéir aux ordres de son père.

— Si je ne savais pas à quel point tu t'occupes de tes cochons, Zaccharie, ajouta le docteur, je dirais que la poussière, l'humidité et la saleté sont les causes de tout ça. Mais dans ce cas-ci, je suis plutôt porté à croire qu'ils l'ont attrapé d'un autre animal. Aucun autre cochon n'est malade?

— Non, docteur! répondit monsieur Lupa. Ils sont tous en pleine forme. Comme vous l'avez remarqué, docteur, ma porcherie est vraiment très propre. J'ai déjà vu l'intérieur de certaines maisons... et ce n'était pas aussi propre que ma porcherie. La plupart des gens pensent que les cochons sont des animaux très sales, mais c'est faux. La seule raison pour laquelle ils aiment se rouler dans la boue, l'été, c'est pour se rafraîchir. Non, je n'ai pas d'autres cochons malades!

Au moment où Valérie présentait une seringue au docteur, un petit chat noir et blanc se glissa dans l'enclos. Valérie tendit la main pour le caresser.

— Qui est-ce, monsieur Lupa? demanda-t-elle. Je n'ai jamais vu ce chat avant.

— Oh, c'est Minuit, une chatte égarée. Une nuit, elle est entrée dans la ferme et s'y est installée. Elle adore mes cochons.

Comme pour prouver qu'il avait raison, Minuit alla vers les porcelets et se blottit entre les deux plus ronds.

— Je ne sais vraiment pas si c'est parce qu'elle adore les cochonnets ou si c'est parce qu'elle recherche la chaleur, poursuivit monsieur Lupa. Je laisse tout le temps cette lumière ouverte pour ne pas qu'ils prennent froid.

— On dirait qu'elle a le rhume, elle aussi, fit remarquer Valérie.

Elle avait remarqué que les yeux et le nez du chat coulaient.

— D'après moi, elle a dû l'attraper des cochonnets, lança monsieur Lupa.

Le docteur releva la tête du cochonnet qu'il venait juste de vacciner. Un pli barrait son front.

— Valérie, donne-moi cette chatte, veux-tu? demanda-t-il.

— Bien sûr, papa, répondit Valérie en soulevant la chatte et en la tendant à son père. Vas-tu la vacciner, elle aussi?

Le docteur examina d'abord les yeux de l'animal, puis les oreilles.

— Oui, je vais le faire. Zaccharie, je crois que nous tenons la responsable de tout ça.

— Que voulez-vous dire? demanda monsieur

Lupa, l'air perplexe.

— Je veux dire que ça m'étonnerait beaucoup que Minuit ait attrapé sa maladie des cochonnets. C'est plutôt eux qui l'ont attrapée d'elle. J'ai expliqué à Valérie, en venant ici, que, d'après les symptômes que vous aviez énumérés, les petits cochons souffraient probablement d'une maladie respiratoire appelée bordetella. Après avoir fait la connaissance de Minuit, je suis certain de ce que j'avance. Les chats sont réputés pour être porteurs de cette maladie.

— Qui aurait cru qu'une si petite chatte puisse rendre dix cochonnets malades ? demanda monsieur Lupa. Que devrais-je faire d'elle, docteur ?

— Premièrement, je vais lui administrer une dose de sulfamides. Ensuite, vous devrez vous assurer qu'elle se tienne aussi loin que possible de ses amis à partir de maintenant, ou du moins jusqu'à ce que les animaux se soient entièrement remis.

— Mais ils vont s'en remettre ? s'enquit monsieur Lupa inquiet. Mes cochonnets ne vont pas mourir juste parce qu'une chatte les a reniflés de trop près, n'est-ce pas ?

— Non, Zaccharie. Les antibiotiques font des merveilles. Je reviendrai dans quelques jours pour voir comment vont les animaux et pour leur administrer une autre dose de médicaments. Je ne vois pas pourquoi ils ne grandiraient pas pour devenir d'excellents spécimens en bonne santé — la plupart d'entre eux du moins.

Valérie surprit le regard qu'il venait de lancer au petit avorton.

— Tu ne penses pas que Minus passera au travers ? demanda-t-elle.

Elle ne savait pas pourquoi elle l'avait appelé Minus. Ce nom lui avait tout simplement traversé l'esprit.

— Si tu parles de ce tout petit-là, répondit son père en soulevant le cochonnet, personne ne peut dire s'il s'en tirera. Presque chaque portée compte un avorton. Quelquefois, il peut réussir à manger suffisamment pour vivre, mais, bien souvent, il n'y a pas assez de lait pour nourrir toute la portée et s'il y en a assez, ses frères et soeurs sont trop goinfres pour lui laisser du lait. Il devra courir le risque.

— C'est comme ça que ça se passe, c'est vrai, approuva monsieur Lupa. Il arrive aussi parfois que la mère roule dessus et qu'elle l'écrase. Ne sois pas dégoûtée, Valérie, ajouta-t-il en voyant l'expression de la jeune fille. Ça n'arrive pas souvent et cette bonne vieille Lulu ne fera jamais de mal à un de ses petits. Mais s'il y en a un qui risque de ne pas survivre, c'est bien le plus petit. Comment l'appelles-tu ?

— Minus, dit doucement Valérie en ravalant la boule qui s'était formée dans sa gorge.

— Valérie, donne-moi encore des antibiotiques, s'il te plaît, demanda le docteur.

Automatiquement, Valérie lui tendit une autre ampoule, mais elle ne pouvait quitter Minus des yeux.

— Même s'il grandit, expliqua monsieur Lupa, il sera toujours plus petit que les autres. Il n'y a pas beaucoup de viande sur un avorton. Celui-ci n'est guère plus gros qu'une saucisse, pour le moment! ajouta-t-il en éclatant de rire.

Valérie était loin de trouver ça drôle. Elle avait essayé d'oublier que toutes ces adorables créatures termineraient leurs jours en jambon, lard, côtelettes ou saucisses. C'était du reste pour cela qu'elle refusait de manger de la viande. Elle ne pouvait pas oublier que chaque morceau de viande dans une assiette avait un jour fait partie d'un animal heureux et en santé.

Valérie avait l'impression que Minus la regardait d'un air suppliant. Tous ses frères et soeurs se blottissaient contre Lulu et se gavaient de lait, mais il n'y avait pas de place pour lui.

Valérie tendit la main vers le plus gros cochonnet, le poussa et déposa Minus à sa place.

— Donne une chance au plus petit, gros lard, lui dit-elle.

Monsieur Lupa se mit à rire encore plus fort.

— Je te trouve très drôle, Valérie, lança-t-il. Je devrais peut-être réserver tes services pour t'occuper de Minus.

Valérie regarda tristement Gros Lard se diriger vers Minus et le bousculer pour reprendre sa place. Même si Gros Lard toussait et avait de la peine à respirer comme tous les autres, il n'était pas difficile à Valérie de dire qu'il s'en tirerait, lui. Mais pauvre Minus...

— Monsieur Lupa, vous ne pourriez pas nourrir Minus au biberon jusqu'à ce qu'il soit plus gros et plus fort? demanda-t-elle avec espoir.

— Je n'en ai pas le temps, Valérie, répondit monsieur Lupa en secouant la tête. J'ai beaucoup d'autres cochons. Je dois m'en occuper aussi, et je n'ai pas d'aide. Comme le disait le docteur, il aura peut-être une chance. Je ne suis pas sans-coeur, ajouta-t-il en voyant à quel point Valérie était triste. Ce n'est pas à mon avantage de perdre un des petits de Lulu — c'est une bonne truie et toute sa portée est primée. Mais si j'en perds un sur dix, et si celui que je perds est l'avorton, alors je ne suis pas vraiment perdant. Tout le monde ici sait que mes produits sont les meilleurs. Je ne peux donc pas perdre mon temps à essayer de sauver un petit avorton qui n'aura jamais beaucoup de valeur.

— Valérie, on a fini, dit le docteur. Tu as entendu ce que monsieur Lupa a dit? Ne te laisse pas envahir par tes sentiments. Si tu veux devenir vétérinaire plus tard, tu dois apprendre à accepter certains faits de la vie — de la vie animale. On a fait tout ce qu'on pouvait pour ne pas que ces petits attrapent une pneumonie. On ne peut pas contrôler ce qui leur arrivera plus tard.

Valérie acquiesça de la tête et ramassa les seringues et les bouteilles vides. Elle savait que le docteur avait raison, mais son coeur avait de la peine pour le petit avorton. L'avenir de Minus paraissait très sombre. Il ne mourrait pas de bordetella, mais il était évident qu'il mourrait de faim tôt ou tard. Ou peut-être que Lulu roulerait sur lui. Peu importe ce qui arriverait, Minus était condamné. Il était si petit et si doux! Si seulement le docteur la laissait le prendre chez eux, elle était certaine qu'elle pourrait le sauver.

Valérie regarda son père.

Le docteur croisa son regard anxieux.

— Non, Valérie, il n'en est pas question. Viens, ma chérie. Il est temps de rentrer.

Le docteur dit à monsieur Lupa qu'il reviendrait dans trois jours pour examiner de nouveau les cochonnets et leur donner une autre injection. Il lui rappela de bien tenir Minuit loin de ses amis. Puis il se dirigea vers la camionnette en compagnie de Valérie.

Pendant un moment, Valérie et son père n'échangèrent aucune parole.

— Papa, se risqua finalement Valérie, c'est vraiment un beau petit cochon...

— Oui, c'est vrai, admit le docteur en gardant les yeux rivés sur la route. Et à la maison, on a deux beaux chiens, un gros chat, quatre hamsters, des lapins, des poulets, un canard et un canari, sans parler de Fantôme qui vit à l'Auberge des animaux.

En entendant parler de Fantôme, Valérie ne put s'empêcher d'avoir un faible sourire. Elle avait sauvé le merveilleux cheval pommelé d'une mort certaine et maintenant, il lui appartenait à elle toute seule. Elle avait de la chance. Elle ne connaissait personne d'autre qui puisse se vanter d'avoir son propre cheval. Mais elle ne pouvait s'empêcher de penser à Minus.

— Pas de cochon, Valou, compris?

— Oui, papa, compris, répondit Valérie en soupirant.

CHAPITRE 2

— Je pensais que vous n'arriveriez jamais! s'exclama Coralie, la jeune soeur de Valérie.

Elle avait eu un cours de ballet l'après-midi et portait encore ses collants. Ses longs cheveux blonds étaient coiffés en chignon. Elle serra son père très fort, l'embrassa et lui tendit une enveloppe.

— C'est une lettre de tante Pierrette, lui dit-elle.

Tante Pierrette était la soeur de leur mère. Elle demeurait à New York ; Coralie était persuadée que c'était la ville la plus merveilleuse et la plus excitante du monde. La mère des jeunes filles était décédée dans un accident d'automobile, trois ans plus tôt, laissant sa famille dans une douleur dont elle ne pensait jamais pouvoir se remettre. Mais aujourd'hui, ça allait un peu mieux, et tante Pierrette était toujours restée en contact avec eux. Ses lettres étaient toujours pleines de nouvelles intéressantes.

Coralie se dandinait sur un pied et sur l'autre, impatiente que son père ouvre la lettre.

— Lis-la tout de suite, papa, pressa-t-elle. J'ai tellement hâte d'entendre ce qu'elle a à nous raconter! Que se passe-t-il, Valérie? demanda-t-elle soudain. Tu as l'air triste.

— Rien de bien important, répondit Valérie en haussant les épaules. On est allés à la porcherie de monsieur Lupa. Les petits de Lulu sont malades. Mais ils vont guérir... sauf peut-être Minus.

— Qui est Minus? s'enquit Coralie.

Mais avant que Valérie n'ait le temps de lui répondre, elle se tourna de nouveau vers son père.

— Papa, dit-elle, vient t'asseoir dans ton fauteuil préféré et lis-nous la lettre de tante Pierrette.

Le docteur se laissa mener au gros fauteuil près du foyer et ouvrit l'enveloppe.

— Où est Benoît? demanda-t-il.

Benoît est le petit frère de Valérie et de Coralie. Il a huit ans.

— Chez Éric. Il vient d'avoir un nouveau jeu vidéo. Benoît devrait revenir d'une minute à l'autre. Allez, lis, papa!

Valérie se laissa tomber sur le canapé et caressa Médor, le petit chien bâtard noir et blanc, et Cascade, le gros retriever à poils blonds. Siméon, son gros chat orange, sauta sur ses genoux et ronronna joyeusement.

— Alors, papa, qu'est-ce que tante Pierrette raconte? demanda-t-elle.

Le docteur parcourut la lettre et il fronça les sourcils.

— Eh bien! finit-il par dire.

— Papa! s'écria Coralie, veux-tu la lire à voix haute?

— D'accord, je commence, dit le docteur en s'installant confortablement dans son fauteuil.

« Cher Antoine. Les vacances de Pâques arrivent et je me suis sentie inspirée. Cela fait des mois que je ne vous ai pas vus, toi et ta famille, et il est grand temps d'y remédier. Je sais à quel point tu es occupé ; je ne te demanderai donc pas de te libérer pour venir nous voir ici, à New York. Mais Valérie et Coralie auront presque deux semaines de congé. Puis-je te les emprunter ? Je serais ravie qu'elles viennent nous rendre visite. Nous les amènerions au théâtre, au ballet...

— Fantastique ! cria Coralie.

— ... à l'opéra, dans les musées — voir tous les spectacles merveilleux que vous ne devez pas avoir dans votre patelin. Tu remarqueras que je n'ai pas parlé de mon neveu, Benoît. J'ai une grosse faveur à te demander. J'aimerais beaucoup que Mathieu, qui est de l'âge de Benoît, puisse passer ses vacances chez vous. Ce serait la meilleure chose qui puisse arriver à Mathieu. Comme il est enfant unique et qu'il vit dans une grande ville, cela lui ferait du bien de voir un peu ce qui se passe ailleurs. Je le trouve beaucoup trop sérieux pour son âge et un peu timide aussi. Je me rappelle Benoît comme un petit garçon ouvert et dynamique, ce qui serait super pour Mathieu.

Téléphone-moi dès que tu le pourras. Je suis très impatiente de revoir mes nièces. Nous nous amuserons beaucoup et je suis certaine que, de leur côté, Benoît et Mathieu feront de même. Je vous embrasse tous bien fort, Pierrette. »

— Oh, papa, on peut y aller? s'écria Coralie. S'il te plaît, dis oui! On ira au ballet et on verra plein de choses...! Valérie, tu ne trouves pas ça super?

— Je ne sais pas, répondit Valérie en serrant Siméon contre elle. À New Yok, tous les animaux sont dans des zoos. Je déteste les zoos!

— Mais tu vois des animaux tous les jours, ici, à la maison, dit Coralie. À New York, tu verras des choses beaucoup plus excitantes! Les policiers montent des chevaux, là-bas, Valérie! Papa, tu vas nous laisser y aller, n'est-ce pas?

— Eh bien, je ne sais pas, dit le docteur en se frottant la barbe. Je dois y penser.

À cet instant, Benoît entra en coup de vent, les joues rouges, quelques boucles de cheveux dépassant de son éternelle casquette de baseball qu'il portait tout le temps.

— Allô, papa! J'ai tué un million de Martiens avec le nouveau jeu vidéo d'Éric!

Les chiens coururent vers lui et se mirent à lui sauter dessus et à lui lécher le visage. Benoît roula sur le plancher en riant et en aboyant pour répondre à Médor et à Cascade. Lorsqu'il se releva, il vit que son père tenait une lettre.

— De qui est-ce? demanda-t-il.

— De tante Pierrette! expliqua Coralie. Valérie et moi, on va aller à New York pour les vacances de Pâques!

— Ah, oui? Super! s'exclama Benoît en soulevant Médor et en le faisant tourner dans les airs. Je ne suis pas obligé d'y aller, hein? Je ne veux pas aller à New York, moi.

— Et que dirais-tu si ton cousin Mathieu venait te rendre visite ici ? demanda le docteur.

Benoît reposa Médor.

— Mon cousin Mathieu ? Cette espèce de mauviette avec des lunettes ? Beurk !

— Benoît, ça fait trois ans que tu n'as pas vu ton cousin, lui rappela le docteur. Tante Pierrette pense que ce serait une bonne idée que Mathieu et toi fassiez davantage connaissance.

— Moi, je ne trouve pas, mais c'est toujours mieux que d'aller à New York. Toi, Valérie, tu veux y aller à New York ?

— Pas vraiment, admit Valérie en caressant Siméon. Je ne suis pas obligée d'y aller si je ne veux pas, n'est-ce pas, papa ? demanda-t-elle au docteur. On a fait des tas de projets pour ces vacances, Carole et moi, et j'aimerais travailler à temps plein à l'Auberge des animaux. Suis-je obligée d'y aller ?

— Valérie, tu es vraiment complètement idiote ! lança Coralie. Pense un peu à ce que tu vas manquer ! Le ballet, le théâtre, l'opéra ! Et la police montée !

Valérie enfouit son nez dans la douce fourrure de Siméon.

— Je préfère rester ici avec papa et monter Fantôme tous les jours. Mais tu peux y aller si tu le veux, Coralie. Tu vas bien t'amuser. Moi, je veux juste rester ici, chez moi.

— Papa, demanda Coralie l'air soucieux, si Valérie n'y va pas, est-ce que ça veut dire que je ne pourrai pas y aller, moi non plus ?

— Pas nécessairement, répondit le docteur en

se levant. Je dois penser à tout ceci. En attendant, je suis affamé. Qu'est-ce qu'il y a pour souper?

Avant que Coralie ne réponde, un cri d'effroi se fit entendre de la cuisine.

— C'est madame Gobeil! s'écria Valérie. On dirait que quelque chose d'horrible lui est arrivé!

Elle se dirigea la première vers la cuisine. Madame Gobeil, la dame qui s'occupait de la maison, se tenait au milieu de la pièce, toute tremblante, pointant son doigt vers la table.

— Que se passe-t-il, madame Gobeil? demanda Valérie, inquiète. Vous ne vous sentez pas bien?

— Le fromage! Le fromage! n'arrêtait pas de crier madame Gobeil. Une araignée! Le fromage!

— Calmez-vous, madame Gobeil, dit le docteur en lui passant son bras autour des épaules pour la rassurer. Qu'est-ce qu'il y a?

— Ho! vous avez trouvé Philibert! s'écria Benoît en se précipitant vers la boîte de fromage en plastique qui était posée sur la table. J'étais vraiment inquiet à son sujet! Merci beaucoup!

Valérie et Coralie s'avancèrent pour regarder à l'intérieur de la boîte en plastique. Il y avait une énorme tarentule toute poilue.

— Beurk! cria Coralie.

— Hé, c'est une tarentule! s'exclama Valérie. Où l'as-tu prise?

Benoît secoua la tarentule du bout du doigt. L'araignée était un peu étourdie et ne bougeait pas.

— Ma professeure a demandé si quelqu'un pouvait apporter Philibert chez lui pendant les vacances, expliqua Benoît. Je lui ai dit que moi, je le pouvais. Alors, j'ai apporté Philibert ici, dans sa maison. Cette boîte de fromage, c'est sa maison, madame Gobeil, continua-t-il en regardant la pauvre dame. Si vous regardez comme il faut, vous verrez des petits trous dans le couvercle. C'est pour qu'il puisse respirer. C'est vraiment une belle araignée. J'ai apporté Philibert cet après-midi, après l'école, et je crois bien que je l'ai oublié sur la table. C'est à cause d'Éric. Avec son nouveau jeu vidéo, j'ai oublié Philibert. Où l'avez-vous trouvé?

Madame Gobeil était maintenant suffisamment calme pour parler, mais sa voix chevrotait encore un peu.

— Dans le réfrigérateur, voilà où je l'ai trouvé. Je pensais que c'était du fromage en crème, mais quand j'ai ouvert la boîte... S'il y a bien une chose que je ne supporte pas, c'est les araignées, avoua-t-elle en frissonnant. Ces horribles choses sournoises avec toutes ces pattes! Et c'est la plus grosse araignée que j'aie jamais vue, et la plus poilue, aussi!

Benoît regarda Philibert d'un air interrogateur.

— Comment est-il arrivé dans le réfrigérateur? Il n'a pas l'air bien en vie. J'espère qu'il ne va pas attraper le rhume!

— Je l'ai mis dans le réfrigérateur, intervint Coralie en frissonnant à son tour. Si j'avais su que — que cette chose était là-dedans, je n'aurais même pas touché la boîte avec des gants protecteurs! Je me suis pourtant demandé pourquoi il y avait des trous dans le couvercle! C'est un horrible tour à jouer, Benoît Tremblay! Madame

Gobeil aurait pu avoir une crise cardiaque!

Valérie s'approcha de Benoît et admira l'araignée.

— Je ne suis pas folle des tarentules, admit-elle, mais Philibert est un beau spécimen. Pourtant, il ne peut pas rester dans cette petite boîte de plastique. Hé, j'ai une idée! Mon vieil aquarium... il est quelque part, au sous-sol. On pourrait le monter —

— Inutile de continuer! ordonna le docteur. On ne va pas garder cette tarentule. Tu connais les règles, Benoît. Pas de nouvel animal à moins que tout le monde soit d'accord. Même si ce n'est pas pour toujours. Philibert doit partir demain matin — pas de si, ou de mais... De toute façon, pourquoi l'as-tu apporté si tôt à la maison? Les vacances de Pâques ne commencent pas avant deux semaines.

— Bien... Madame Robin n'aime pas vraiment Philibert. Elle dit qu'il lui donne la chair de poule. Un élève de la classe l'avait apporté pour un exposé oral, il y a quelques semaines, et il n'est jamais revenu à l'école. On ne sait pas s'il a déménagé ou ce qui s'est passé!

— Quel élève malin! s'exclama le docteur d'un ton sec. Je suis désolé, Benoît. Je compatis avec madame Robin, mais elle devra trouver un autre foyer pour Philibert. Referme la boîte et monte-la dans ta chambre. Demain, tu la rapporteras. Vous allez mieux, madame Gobeil? demanda-t-il en la regardant.

— Dès l'instant où je suis certaine que ce monstre ne sera plus ici demain matin, ça va aller, répondit-elle en secouant ses cheveux blancs. Ça m'est bien égal d'avoir des chats, des chiens, des lapins, des poussins... même ce petit singe était mignon. Mais des araignées — je ne pourrais pas travailler dans une maison où il y a une grosse araignée toute poilue, non monsieur!

Benoît soupira et posa le couvercle sur la boîte de Philibert.

— Viens, Philibert, dit-il. On va dans ma chambre. Tu pourras parler à mes hamsters.

Il sortit de la cuisine la tête basse.

— Ne sois pas triste, entendirent-ils Benoît expliquer à l'araignée en traversant le salon. Moi je t'aime, même si personne d'autre ne t'aime.

— C'est une très belle araignée, dit Valérie.

— Pas d'araignées, Valérie et pas de cochons, dit le docteur d'une voix ferme.

— Des cochons? répéta Coralie. Pourquoi parles-tu de cochons?

— Laisse tomber, répondit Valérie, toute triste.

Si elle avait eu ne serait-ce qu'un tout petit espoir que son père change d'idée au sujet de Minus, il venait de s'effacer.

— Qu'y a-t-il pour souper, madame Gobeil? demanda-t-elle.

— Des côtelettes de porc, répondit madame Gobeil en se dépêchant d'ajouter et un pot-au-feu de légumes pour toi, Valérie. Bon, continua-t-elle, je vais chercher mon manteau, mon fils ne va pas tarder à arriver.

Des côtelettes de porc! pensa Valérie. Elle revit tous ces mignons petits cochons roses. Puis elle se rappela l'enseigne sur le camion de livraison de monsieur Lupa, celui qu'il utilisait pour transporter la viande dans les boucheries et charcuteries de la ville. Il y avait entre autres, sur cette enseigne, un petit cochon tout souriant, debout sur ses pattes arrière, qui effectuait un pas de danse. Du coup, Valérie n'avait plus faim, même pour un pot-au-feu de légumes.

— Papa, je peux y aller? demanda Coralie, plus tard dans la soirée.

Les Tremblay venaient de terminer leur souper et Valérie servait une délicieuse tarte aux fruits que madame Gobeil avait mise au four juste avant de partir.

— Aller où? demanda à son tour le docteur, distrait.

— À New York! Chez tante Pierrette. Ce n'est pas parce que Valérie ne veut pas y aller que je ne pourrai pas y aller, n'est-ce pas? Je suis assez grande pour prendre le train toute seule — j'ai onze ans, bientôt douze. C'est assez vieux!

— Je t'ai dit que j'allais y penser, répliqua le docteur. Et l'histoire de Philibert ne m'a pas laissé beaucoup de temps pour y réfléchir.

Benoît jeta un regard sombre à son père et baissa le nez sur sa tarte.

— Je crois que tu devrais la laisser partir, papa, dit-il la bouche pleine. Et tu devras sûrement permettre à Mathieu de venir ici. Il ne sera peut-être pas aussi mauviette s'il reste un moment ici, avec mes amis.

— Tu es certaine de ne pas vouloir aller avec Coralie? demanda le docteur à Valérie.

— Oui, j'en suis sûre. Je n'aime pas New York. En plus, Carole et moi on a prévu plein de choses pendant ces vacances. Tu m'avais dit aussi que je pourrais travailler à temps plein à l'Auberge des animaux. Mais Coralie doit vraiment y aller, ajouta-t-elle en regardant sa soeur et en lui souriant. Je suis prête à parier que tante Pierrette l'invitera au ballet tous les soirs!

— Oh, s'il te plaît, papa! supplia Coralie. Si je veux devenir ballerine tout comme l'était maman, je dois voir les meilleurs danseurs du monde, et ils dansent tous à New York. Si je n'y vais pas, je ne serai jamais danseuse, je le sens!

— Je ne vois pas pourquoi tu n'y irais pas, dit enfin le docteur en terminant sa tarte.

Coralie et Valérie échangèrent un regard plein de joie.

— Et je pense aussi que c'est une bonne idée que Mathieu vienne ici, ajouta-t-il. Je vais écrire à tante Pierrette ce soir.

— Lui écrire? s'écria Coralie avec empressement. Mais téléphone-lui maintenant! Tout de suite!

Elle décrocha le combiné du téléphone qui était près de la table et le tendit à son père.

— Je vais chercher le numéro! s'écria Valérie en se précipitant au salon.

Elle prit le carnet d'adresses de son père et retourna bien vite dans la cuisine.

— C'est aussi bien comme ça! s'exclama le docteur. Sinon, je n'aurai vraiment aucun répit.

Coralie, impatiente, tournait autour de son père pendant qu'il composait le numéro de téléphone. Valérie commença à débarrasser la table et Benoît l'aida à placer la vaisselle dans le lave-vaisselle.

— Pierrette? C'est moi. Bonjour! Je viens juste de recevoir ta lettre. Oui, c'est exact. Valérie veut rester ici, mais Coralie est prête à partir dès aujourd'hui.

— Je ne peux pas attendre, cria Coralie dans le microphone. Merci beaucoup de nous avoir invitées.

Le docteur et tante Pierrette parlèrent encore des formalités de transport.

— Et nous attendons Mathieu, ajouta le docteur. Ce sera excellent que Benoît et Mathieu se retrouvent.

— Demande-lui si Mathieu est toujours aussi mauviette, s'écria Benoît.

Valérie fit la grimace.

Le docteur lui fit des gros yeux et secoua la tête, fâché.

— Oui, c'était Benoît, dit-il. Qu'est-ce qu'il a dit? Euh... il voulait savoir si Mathieu aimait les paupiettes.

Valérie, Coralie et Benoît se regardèrent avec surprise et éclatèrent de rire. Le docteur leur lança un regard noir.

Après avoir discuté de l'horaire des trains et de la date, le docteur raccrocha.

— Alors, Mathieu aime-t-il les paupiettes? demanda Benoît en rigolant.

— En tous les cas, tu as l'esprit vif, papa, fit remarquer Valérie en essayant de garder son sérieux.

Le docteur ne trouvait pas ça drôle du tout.

— C'était très impoli, Benoît, lança-t-il. Tu n'as pas vu ton cousin Mathieu depuis des années. Il faut admettre qu'il n'était pas aussi dissipé que toi lorsqu'il était petit, mais ce n'est pas une raison pour le traiter de mauviette. Il pourrait bien te surprendre. Qu'est-ce qui te dit qu'il n'est pas devenu un garçon fort et énergique qui serait capable de te réduire en bouillie si tu te moques de lui ? Les gens changent, tu sais.

— D'accord, papa. Je te demande pardon, répondit Benoît en fixant le bout de ses souliers. Hé, je me demande si Mathieu est un mordu du base-ball, ajouta-t-il le visage illuminé par un grand sourire. S'il l'est, je parie qu'il aime les Yankees ou peut-être les Mets. C'est sûr qu'ils ne sont pas aussi bons que les Expos... Peut-être que Mathieu fait la collection des cartes de joueurs de base-ball. On pourrait s'en échanger.

— La meilleure façon de le savoir serait de lui écrire une lettre, suggéra le docteur. Si Mathieu te répond, tu auras déjà l'impression de le connaître un peu avant qu'il arrive.

— Ça, c'est une bonne idée ! lança Benoît. Je me demande s'il a des animaux domestiques. Il ne doit sûrement pas avoir de tarentule.

— Toi non plus, tu n'en as pas, lui rappela le docteur. Pourquoi n'irais-tu pas dans ta chambre écrire cette lettre tout de suite ?

— D'accord, dit Benoît. Venez les gars, lança-t-il aux deux chiens. On va dans ma chambre. Je vous sortirai dès que j'aurai fini ma lettre.

Lorsque Benoît et les chiens furent partis,

Coralie se jeta au cou de son père et l'embrassa.

— Papa, merci de me laisser partir! C'est la chose la plus merveilleuse qui me soit arrivée de toute ma vie!

Le docteur la serra très fort puis la regarda avec sérieux.

— As-tu vraiment tellement hâte de quitter la maison, ma chérie? demanda-t-il.

Au ton de sa voix, Valérie ressentit quelque chose d'étrange au creux de l'estomac. Pourquoi son père semblait-il si triste? Coralie ne s'en allait pas pour toujours, seulement pour une dizaine de jours. Soudain, elle se rendit compte que sa famille n'avait jamais été séparée. Même pas pour aller à un camp de vacances.

Je vais m'ennuyer d'elle, admit Valérie en elle-même. Elle va beaucoup me manquer.

— Ce n'est que pour quelques jours, expliquait Coralie. Je vous enverrai des cartes postales tous les jours. Ce sera merveilleux!

— Viens Coralie, dit Valérie. Il faut aller nourrir les lapins et le canard, sans oublier les poussins de Benoît.

— Pourquoi Benoît ne peut-il pas nourrir ses poussins lui-même? demanda Coralie, mécontente.

— Parce qu'il est en train d'écrire à Mathieu. Il s'en occupera demain soir.

— Bon, d'accord, se résigna Coralie. Mais dès qu'on aura fini, je vais téléphoner à Olivia. Quand elle saura la nouvelle, elle sera verte d'envie!

— Alors, demande-lui de nourrir les poussins

demain soir, blagua le docteur.

— Ce n'est pas de cette nouvelle-là dont je parlais, voyons, répondit Coralie. Tu le sais très bien. Quel blagueur tu fais!

La drôle d'impression que Valérie avait ressentie au creux de l'estomac commença à s'estomper. Après tout, ce n'était que quelques jours de vacances. Rien ne changerait vraiment...

CHAPITRE 3

Les deux semaines suivantes passèrent si vite que Valérie ne vit pas le temps filer. Dès qu'elle avait un instant de libre, elle enfourchait sa bicyclette et allait voir Minus à la porcherie. Il ne grossissait pas du tout. Pourtant, il allait beaucoup mieux ; il ne toussait plus et respirait bien. Les autres porcelets prenaient du poids à vue d'oeil. Minus semblait tenir bon, mais son poids demeurait stable. Valérie était tout le temps inquiète à son sujet. Bruno la traitait d'idiote.

— Il va bien aller, lui disait-il. Qu'est-ce que ça peut faire s'il ne grossit pas ? Il est vivant, c'est le principal.

À la maison, Coralie était dans tous ses états ; elle préparait son voyage. Après avoir décidé que ses vêtements ne convenaient pas pour un tel séjour, elle alla faire le tour des magasins avec la mère d'Olivia. Elle en revint avec une garde-robe qui lui permettrait d'assister à toutes les sorties culturelles possibles. Elle aimait tout particulièrement une robe fleurie dont la jupe était très ample. Un joli col blanc la mettait en valeur. Comme elle serait belle là-dedans !

— Tu devrais t'acheter quelques robes, Valérie, s'exclama-t-elle en revenant des magasins. Tu ne portes que des jeans et des cotons ouatés. Tu devrais aussi t'occuper un peu plus de tes cheveux. Ils sont tellement beaux — si longs et très épais. D'une si jolie couleur aussi, pas comme les miens qui sont d'un blond délavé.

— Tes cheveux ne sont pas du tout d'un blond délavé, corrigea Valérie. Ils sont blond cendré ; maman avait exactement la même couleur de cheveux que toi. Et dis-moi un peu quand je pourrais porter une robe? J'aurais l'air idiote en robe pour m'occuper des animaux à la clinique ou encore pour monter Fantôme.

— J'aurais aimé que tu viennes avec moi, soupira Coralie. Je suis certaine que New York te plairait lorsque tu t'y serais habituée.

— Mais d'ici à ce que je m'y habitue, il sera temps de revenir à la maison, fit remarquer Valérie. Non, je vais rester ici avec papa. Tu vas bien t'amuser, Coralie, et tu pourras tout me raconter à ton retour.

— Lorsque je serai danseuse professionnelle, je t'inviterai à New York, dit Coralie. Mais si tu arrives chez moi dans ce jean tout râpé...

— Tu ne me laisseras pas entrer? demanda Valérie.

— Oh, je te laisserai entrer, bien sûr. Mais je devrai te présenter à mes amis comme ma soeur excentrique. Tu auras ton petit succès — un peu comme madame Marie, ici.

Valérie pensa à madame Marie, cette vieille dame qui recueillait chez elle tous les animaux abandonnés lorsqu'il n'y avait plus de place à la SPA. Madame Marie était vraiment excentrique, mais elle avait un coeur d'or. Et l'idée de devenir comme elle ne déplaisait pas à Valérie. Et même pas du tout.

Soudain, le jour du départ de Coralie arriva. Le docteur apporta sa valise dans la camionnette pendant que sa fille disait au revoir à madame Gobeil.

— Tu fais bien attention à toi, Coralie, tu m'entends? conseilla madame Gobeil en la serrant très fort contre elle. Et ne t'avise pas d'aller quelque part toute seule là-bas. Il y a plein de voleurs et de maniaques de toutes sortes. Oh, j'aurais aimé que Valérie t'accompagne! S'il fallait que ta tante Pierrette oublie d'aller te chercher à la gare?

— Mais non, madame Gobeil. Elle n'oubliera pas, la rassura Coralie en l'embrassant. Tout va bien se passer, c'est promis.

— Si des fois elle l'oubliait, va directement voir un policier, poursuivit madame Gobeil comme si Coralie n'avait rien dit. Et tu lui donneras le numéro de téléphone de ta tante; il pourra lui téléphoner et lui expliquer où tu es. As-tu pris le numéro de téléphone avec toi?

— Oui, madame Gobeil, répondit patiemment Coralie. Il est ici, dans mon sac à main.

— Allez, Coralie, tu viens? cria Benoît en la tirant par la manche.

— Ne vous inquiétez pas, madame Gobeil, dit Valérie. Coralie va bien se débrouiller. Elle nous téléphonera dès qu'elle sera arrivée chez tante Pierrette. Maintenant, nous devons vraiment partir, sinon Coralie va manquer son train.

— Hum, fit madame Gobeil, ce ne serait pas une si mauvaise chose.

Elle serra une dernière fois Coralie dans ses bras, fit demi-tour et rentra en s'essuyant les yeux avec le coin de son tablier.

Benoît se précipita vers la camionnette, suivi de Coralie et de Valérie. En regardant la silhouette mince et élancée de sa petite soeur, Valérie se rendit compte que Coralie n'était plus si petite que ça. Elle rattrapait presque madame Gobeil en taille, mais pas encore Valérie. Coralie se déplaçait avec la grâce naturelle d'une danseuse-née. Comme ce voyage à New York l'excitait! Elle n'avait pas regardé une seule fois en arrière.

Valérie s'installa avec Benoît sur le siège arrière tandis que Coralie s'assoyait à côté de son père, à l'avant. Le docteur fit reculer la camionnette dans l'entrée.

— Je n'arrive pas à y croire! s'exclama joyeusement Coralie. Je m'en vais vraiment! Je vais aller à New York!

— Et Mathieu vient chez nous, précisa Benoît.

Le train de Mathieu devait entrer en gare trente minutes après le départ de celui de Coralie.

— Il n'a jamais répondu à ma lettre, ajouta Benoît. Je me demande à quoi il va ressembler.

— Il doit se demander la même chose à ton sujet, répondit le docteur. Mais vous le saurez bien assez tôt, tous les deux!

— Ça, c'est certain. Ouf! Pas d'école pendant dix jours! On va bien s'amuser! s'écria Benoît tout excité. On va jouer au base-ball, peut-être aller pêcher... Tu as dit que Christophe, Éric et La Terreur pourraient venir dormir une nuit à la maison, hein, papa? Fantastique!

— Et tu ne vas pas t'ennuyer de moi? demanda Coralie en se tournant vers son petit frère.

— Pas du tout! répondit Benoît. De toute façon, tu ne vas pas t'ennuyer de moi, toi non plus. Tu seras trop occupée à faire avec tante Pierrette toutes sortes de choses idiotes consacrées aux filles. Je suis certain que tu ne t'ennuieras pas de nous, pas du tout.

Valérie espérait que Coralie répliquerait qu'elle s'ennuierait beaucoup, au contraire, mais sa petite soeur ne dit rien.

Une demi-heure plus tard, ils étaient tous debout sur le quai de la gare.

— Lorsque le contrôleur passera, expliqua le docteur à Coralie, n'oublie pas de lui tendre ton billet. Demande-lui aussi de te prévenir un peu avant d'arriver à la station Penn afin que tu aies le temps de rassembler tes bagages.

— Oh, papa, je n'ai qu'une valise, dit Coralie. Madame Gobeil et toi agissez comme si j'étais encore un bébé! J'ai onze ans! Mathieu vient seul et il n'a que huit ans. S'il sait où il doit descendre, je ne vois pas pourquoi moi je devrais me tromper.

Elle regarda les rails, le visage rouge tellement elle était excitée.

— Je crois entendre le train! s'écria-t-elle. Écoutez! Il est à l'heure!

Valérie l'entendit, elle aussi — une sorte de bourdonnement. Les autres passagers commencèrent à ramasser leurs bagages. Le docteur souleva la valise de Coralie. Tout le monde recula quand le train entra en gare et ralentit jusqu'à s'arrêter.

— Tiens, Coralie, dit Valérie en donnant une revue sur le ballet à sa soeur. C'est le dernier numéro. J'ai pensé que tu aimerais peut-être lire dans le train.

— Oh, Valérie, merci! s'écria Coralie.

Elle se jeta au cou de sa soeur et elles demeurèrent enlacées quelques instants. J'aurais tant aimé qu'elle ne parte pas, se dit Valérie. Ma petite soeur va tellement me manquer!

— Tu t'occuperas de Dandelion, n'est-ce pas? demanda Coralie. Promets-moi de ne pas laisser entrer Siméon dans ma chambre!

— Je le promets, dit Valérie.

Elle savait à quel point Coralie aimait son serin.

Coralie s'éloigna de Valérie et serra son père très fort dans ses bras, puis elle l'embrassa.

— Je vais t'écrire tous les jours, promis. Et je vais téléphoner dès que j'arriverai chez tante Pierrette.

Benoît se tenait à l'arrière, frottant le bout de sa chaussure sur le quai.

— Au revoir, Coralie, marmonna-t-il. Je pense que je vais peut-être m'ennuyer de toi — un petit peu. Tiens, voici des bonbons. Tous de saveur différente. Si des fois tu as faim.

— Aux fruits tropicaux! s'écria Coralie. Ce sont mes préférés.

Elle prit les bonbons et regarda son petit frère.

— Tu es d'accord pour que je t'embrasse?

— Juste si c'est très rapide, dit Benoît.

Coralie se pencha et déposa un baiser sur la joue ronde de son petit frère. Soudain, Benoît se jeta à son cou et la serra de toutes ses forces.

— Au revoir, Coralie.

— Au revoir, Benoît.

Le docteur prit Coralie par la main et l'aida à s'installer dans son wagon. Un instant après, il était de nouveau sur le quai.

— Elle a un siège près de la fenêtre, dit-il. Elle est là!

Valérie et Benoît lui firent signe de la main. Valérie trouvait que le visage de sa soeur avait l'air très petit et très pâle derrière cette fenêtre.

Mais heureux. Très heureux.

Les derniers passagers montèrent et le train s'ébranla. Le docteur serra Valérie et Benoît contre lui et tous trois regardèrent le train s'éloigner.

— Bon, eh bien maintenant, dit le docteur lorsqu'ils ne virent plus le train, si on allait déjeuner? Je ne sais pas ce que vous en pensez, mais moi, je suis affamé.

Valérie n'avait pas du tout faim, mais elle approuva.

— Moi, je veux des saucisses, et des crêpes, et du jus d'orange et un chocolat chaud, dit Benoît.

Lorsqu'ils montèrent les marches qui menaient au restaurant de la gare, Valérie glissa sa main dans celle de son père.

— Elle sera bien, hein, papa? demanda-t-elle.
— Oui, Valérie, lui répondit son père en lui souriant, elle sera très bien.

Une demi-heure plus tard, ils se tenaient de l'autre côté du quai, attendant le train de New York. Benoît était tout énervé lorsque le train entra en gare.
— Est-ce que c'est lui? demanda-t-il en voyant un petit garçon de son âge descendre du train.
Mais le petit garçon était accompagné d'un couple de personnes âgées.
Plusieurs autres personnes descendirent, valises en main. Elles étaient toutes accueillies par des parents ou des amis. Finalement, juste avant que le train ne reparte, un petit garçon portant d'épaisses lunettes d'écaille et une veste bleu marine apparut. Il avait l'air très mal à l'aise et tenait un petit sac marin dans chacune de ses mains. Le jeune garçon était très bien coiffé et paraissait très anxieux.
— Je parie que c'est Mathieu, dit Valérie.
— Et moi, je parie que tu as raison, répondit le docteur.
— Un instant! grommela Benoît. Cet enfant a l'air d'une super-mauviette.
— Les apparences sont parfois trompeuses, dit le docteur en se dirigeant vers le petit garçon.
— Bonjour. Tu t'appelles bien Mathieu, n'est-ce pas?
— C'est vous, oncle Antoine? demanda le garçon.
— Si tu es Mathieu, alors je suis ton oncle, dit

le docteur. Et voici ton cousin Benoît et ta cousine Valérie.

Le garçon tendit la main à Benoît.

— Hé, comment vas-tu, Mathieu? demanda Benoît.

— Bonjour, Benoît, répondit poliment Mathieu. Je suis heureux de faire ta connaissance.

— Pareil pour moi! lança Benoît en se tournant vers Valérie.

— Hé, Valérie, dit-il, c'est Mathieu. Le cousin Mathieu. Mathieu la mauviette, ajouta-t-il tout bas.

— Tais-toi, Benoît! lança-t-elle.

Elle se tourna vers Mathieu en lui faisant son plus beau sourire.

— Bonjour, Mathieu. Je suis si heureuse que tu passes les vacances de Pâques avec nous.

— Merci de m'avoir invité, répondit Mathieu. J'avais vraiment hâte de passer ces quelques jours parmi vous. Ma valise est là, continua-t-il en pointant une petite valise sur le quai. J'aimerais beaucoup que la personne qui la transporte y fasse particulièrement attention. Il y a mon jeu vidéo préféré et le moindre choc pourrait brouiller les circuits.

Le docteur fit glisser le sac marin sur son épaule.

— Pas de problème, Mathieu, dit-il chaleureusement. Tout va bien aller. Suis-moi. Notre voiture est stationnée tout près d'ici. Benoît, prends la valise de Mathieu.

— Si ça ne vous fait rien, dit Mathieu, je préfère

la transporter moi-même. Il y a aussi mon jeu d'échecs électronique dedans.

Valérie se doutait bien que Mathieu n'avait pas assez confiance en Benoît pour lui laisser transporter sa valise.

— Un jeu d'échecs électronique? répéta Benoît. Tu veux dire un jeu informatique?

— C'est exact, répondit Mathieu. Je ne me déplace jamais sans mon jeu d'échecs électronique. Maman m'a dit que vous étiez un joueur d'échecs, oncle Antoine.

— Bien, j'y ai déjà joué, expliqua le docteur. Mais ça fait si longtemps que je n'y ai pas touché... je dois vraiment être rouillé. Tu pourras peut-être m'aider à m'y remettre!

— J'aimerais bien, dit Mathieu en soufflant sous le poids de sa valise pour monter l'escalier.

— Tu veux que je t'aide? demanda Valérie.

— Non, merci, je peux me débrouiller tout seul, répondit Mathieu en secouant la tête.

Lorsqu'ils arrivèrent à la camionnette, Valérie s'assit en avant tandis que Benoît et Mathieu s'installaient à l'arrière, la valise entre eux. En peu de temps, ils roulaient vers la maison.

— As-tu fait un bon voyage, Mathieu? demanda Valérie.

— Oui, c'était très bien, merci, répliqua Mathieu. Mon père m'avait donné un livre à lire dans le train et j'ai eu le temps de le terminer avant d'arriver.

— Tu as lu tout un livre, d'un seul coup? demanda Benoît, stupéfait.

— Oui, répondit Mathieu. Ça m'arrive souvent.

J'adore lire.

— Moi aussi, dit Valérie. Quel est ton livre préféré? J'aime beaucoup « Le prince noir ». Je préfère les histoires d'animaux.

— Moi aussi, mais j'aime bien aussi des histoires sur les gens. Celui que je viens de terminer s'intitulait « Les carottes sont cuites! ». C'était amusant.

Benoît s'écrasa sur son siège.

— Moi, j'aime bien les bandes dessinées, dit-il.

— Mes parents ne me laissent pas lire des bandes dessinées, répondit Mathieu.

— Sans blague! lança Benoît. Ils doivent être drôlement sévères!

— Pas vraiment. C'est juste qu'ils ont toute une série de règlements parce que je suis enfant unique, expliqua Mathieu. Ils n'arrêtent pas de me dire que je suis tout pour eux et qu'ils veulent que j'aie ce qu'il y a de mieux.

— Aimes-tu être enfant unique? demanda Valérie.

— Oh, oui. J'y suis habitué tout comme toi tu es habituée à être avec Coralie et Benoît.

— Tu ne t'ennuies jamais? demanda Benoît.

— Non. J'aime bien faire des choses tout seul. Et je peux jouer avec mes amis quand je le veux. J'ai beaucoup d'amis à l'école. Certains d'entre eux demeurent dans le même immeuble que nous.

Benoît se pencha au-dessus de la valise et fixa son cousin.

— Comment tes amis t'appellent-ils?

— Ils m'appellent Mathieu, répondit le garçon,

surpris.

— Tu n'as pas de surnom? Je ne sais pas moi, Math ou quelque chose du genre.

— Non. Mon nom est Mathieu et tout le monde m'appelle comme ça. C'est-à-dire, avoua-t-il après un instant, quand j'ai dû porter des lunettes, au début, certains enfants m'appelaient « Hibou », mais ils n'étaient pas de vrais amis.

— Hibou, hein? répéta Benoît.

Valérie savait très bien à quoi pensait son frère.

— Benoît... lança-t-elle en le dévisageant.

— Et que dis-tu des animaux, Mathieu? se dépêcha de demander le docteur. Est-ce que tu en as chez toi?

— Des guppys.

— Oh, non! s'exclama Benoît.

— On a plein d'animaux, expliqua Valérie. Un chat, deux chiens, un serin, quatre hamsters...

Pendant le reste du voyage, elle n'arrêta pas de parler de leurs animaux, mais ni Benoît, ni Mathieu ne dirent un mot.

CHAPITRE 4

— Papa, ça ne marchera jamais! s'exclama Valérie ce soir-là.

Les garçons décidèrent de se coucher de bonne heure; Benoît dans son lit et Mathieu, dans celui de Coralie. Le docteur et Valérie allèrent les border.

— Nous sommes contents de t'avoir parmi nous, Mathieu, dit le docteur. J'ai beaucoup aimé notre partie d'échecs. Merci de m'avoir montré comment utiliser ton jeu électronique.

— Ça m'a fait plaisir, oncle Antoine, répondit Mathieu.

Valérie lui trouva un air fragile et sans défense, sans ses lunettes.

— Demain, lui dit-elle, tu viendras à la clinique avec Benoît. Ensuite, après dîner, des amis de Benoît doivent venir jouer ici. Tu les aimeras, ils sont très gentils.

Elle se demanda si elle devait l'embrasser pour lui souhaiter bonne nuit, puis décida que non. Elle n'avait pas l'impression que son cousin le veuille non plus.

Le docteur ramena doucement en arrière les

cheveux de Mathieu.

— Bonne nuit, Mathieu. À demain.

— Bonne nuit, oncle Antoine. Bonne nuit, Valérie.

Mathieu ferma les yeux.

Le docteur éteignit, puis suivit Valérie dans le couloir. Valérie allait fermer la porte quand :

— S'il te plaît, Valérie, demanda Mathieu, tu peux laisser la porte ouverte ? Il fait très noir.

— Oui, bien sûr, répondit Valérie.

En entrant dans la chambre de Benoît, Valérie eut l'impression qu'il y avait quelque chose de différent. Elle s'arrêta sur le seuil de la porte. Qu'est-ce que ça pouvait bien être... Les hamsters couraient dans leur roue, comme d'habitude ; les vêtements de Benoît étaient éparpillés un peu partout, comme d'habitude ; mais quelque chose manquait... Soudain, elle sut ce que c'était. L'ours en peluche. Benoît ne dormait jamais sans son ours. Pourtant, il n'y avait aucun signe de lui.

— Où est ton ours ? demanda Valérie.

— Est-ce que Mathieu est couché ? répliqua Benoît au lieu de lui répondre.

— Oui, il l'est, répondit le docteur.

— Bon, alors d'accord, dit Benoît en plongeant sous sa couverture et en faisant réapparaître son ours. Je ne voulais pas que cette mauviette sache au sujet de mon ours, expliqua-t-il. Je ne veux pas qu'il me croie plus mauviette que lui !

Le docteur s'assit au bord du lit.

— Benoît, je veux que tu comprennes bien une chose. Tu ne vas pas traiter ton cousin de mauviette devant moi, ou Valérie, et surtout pas devant tes amis. Et encore moins devant Mathieu.

— Mais, papa, il est vraiment une mauviette! Il est la pire mauviette que j'aie jamais connue! s'écria Benoît. Il a peur de Siméon et des chiens, et il ne connaît rien au football ou au base-ball ou à n'importe quel autre sport. Tout ce qu'il veut faire, c'est lire ses vieux livres idiots, jouer avec ce ridicule jeu d'échecs électronique ou faire des gammes au piano!

— Mathieu joue très bien pour un garçon de son âge, répondit calmement le docteur. Cette petite pièce qu'il nous a jouée avant le souper a été écrite par Mozart quand il avait à peine neuf ans.

— Et alors! marmonna Benoît. Je suppose que la prochaine chose que tu vas trouver à me dire, c'est que Mathieu est une sorte de génie ou quelque chose du genre. Eh bien, je m'en fiche complètement. Je voudrais qu'il retourne à New York. C'est le garçon le plus ennuyeux que je connaisse!

— Benoît, tu ne le connais pas très bien, lui rappela Valérie. Je le trouve gentil. Calme, peut-être, mais gentil.

— Oh, il est gentil, d'accord. Il est tellement gentil que je vais m'ennuyer à en mourir! répliqua Benoît. Et on est pris avec lui pendant dix jours complets!

— Il y en a déjà un de passé, fit remarquer le docteur. Il n'en reste que neuf.

— Ça va être les pires vacances de Pâques de

toute ma vie, ronchonna Benoît. On ne peut vraiment pas le renvoyer chez lui ?

— Non, on ne le peut pas, dit le docteur d'un ton ferme. Mathieu est ton cousin et mon neveu. Il fait partie de notre famille. Laisse-lui du temps, Benoît. Laisse-le s'habituer à nous. Il va se dégêner...

— Et il y a encore ça! s'exclama Benoît en s'assoyant sur son lit. Mathieu est le garçon le plus propre que je connaisse! On dirait que ses cheveux sont collés sur sa tête. Il ne se salit jamais. Et son jean a des plis en avant et ses souliers de course sont d'un blanc éclatant!

Le docteur jeta un coup d'oeil autour de la chambre.

— Un peu de propreté, ce n'est pas si terrible.

Benoît se laissa retomber sur le dos.

— Mathieu n'est pas un peu propre, il est trop propre. Il est comme un vieux qui veut se faire passer pour un gamin!

Valérie avait de la difficulté à garder son sérieux. Benoît n'avait pas tort. C'était exactement l'impression que donnait Mathieu. Elle se dirigea vers le lit de son petit frère en essayant de ne pas rire.

— Bonne nuit, Benoît, dit-elle.

— Bonne nuit, répondit Benoît.

Lorsque Valérie se pencha pour l'embrasser, il la repoussa.

— Tu n'as pas embrassé cette mauv... euh, Mathieu, au moins?

— Non, répondit Valérie.

— Bon, d'accord, répliqua Benoît en acceptant

que sa soeur l'embrasse. Puis, il jeta ses bras autour du cou de son père.

— Je vais essayer de m'habituer à lui, papa, promit-il. Et je ne l'appellerai pas mauviette, sauf si j'oublie.

— Ne l'oublie pas, répondit fermement son père en lui ébouriffant les cheveux.

— Je vais essayer, répéta Benoît en serrant son ours et en se couchant pour que le docteur le borde.

— Mais une personne ne peut pas tout retenir, continua-t-il. Et si une personne oublie quelque chose, ce n'est pas vraiment sa faute.

— Bonne nuit, Benoît.

— Bonne nuit, papa.

Le docteur était descendu dans son bureau, et Valérie l'avait suivi. Elle s'était assise par terre, près de lui, et caressait la douce fourrure de son chat.

— Je ne crois vraiment pas que ça va marcher, répéta-t-elle. Benoît et Mathieu sont comme... comme l'eau et la flamme. Ils ne seront jamais copains.

— Tu veux plutôt dire l'eau et le feu, corrigea le docteur en souriant. Mais tu sais, l'eau peut éteindre le feu et le feu peut faire bouillir l'eau. Chacun des deux tempéraments peut s'améliorer au contact de l'autre. C'est ce que nous devons faire — obliger Benoît et Mathieu à être ensemble. Tôt ou tard, ils se trouveront un goût commun pour quelque chose.

— Je ne sais pas, dit Valérie. Pour l'instant, d'après ce que je peux voir, la seule chose qu'ils ont en commun, c'est qu'ils sont tous les deux des garçons.

— C'est déjà plus que ce que Benoît et La Terreur avaient en commun, si tu te souviens bien. Et regarde-les, maintenant.

La Terreur était une fille, et une nouvelle amie de Benoît. Ça avait pris un certain temps et plusieurs bagarres avant qu'ils puissent se supporter.

— En tout cas, soupira Valérie, Coralie avait l'air heureuse quand elle a téléphoné cet après-midi.

— Coralie va passer un excellent séjour. C'est une occasion fantastique pour elle.

— Je le suppose, marmonna Valérie.

— Qu'est-ce qu'il y a, Valérie? demanda le docteur. Tu es déçue de ne pas y être allée?

— Oh, non, papa! Ce n'est pas ça... c'est juste que... bien, j'espérais que Coralie s'ennuie de nous un petit peu. On dirait qu'on ne compte plus pour elle. Moi, elle me manque déjà. Je pense que je m'ennuyais déjà avant qu'elle soit partie.

— Tu sais, Valérie, elle me manque, à moi aussi, avoua le docteur. Mais je ne veux pas qu'elle soit triste ou qu'elle s'ennuie, et je suis certain que toi non plus, tu ne lui souhaites pas ça. C'est certain que l'on compte pour elle, mais ce qu'elle fait en ce moment est très excitant, et elle vieillit. Je ne sais pas ce que tu en penses, ma chérie, mais je suis heureux de voir que Coralie est capable d'apprécier autant ce voyage.

— Oui, bien sûr! acquiesça Valérie, mais je ne suis vraiment pas fière de Benoît! Qu'est-ce qu'on va faire de ces deux garçons, papa?

— Bien, répondit le docteur en se frottant la barbe avec vigueur, j'y ai beaucoup songé. Mathieu est ici depuis moins d'une journée, et on l'a plutôt traité comme un invité un peu spécial, ce qu'il est, bien sûr! C'est peut-être pour ça qu'il se sent mal à l'aise avec nous. À partir de maintenant, on va essayer de le considérer comme un membre de notre famille, ce qu'il est aussi, ne l'oublions pas. Il ne se sentira jamais chez lui si l'atmosphère est toujours aussi tendue. On doit lui faire sentir qu'il n'a pas besoin de se conduire en gentilhomme chaque minute de sa vie. Quelque part en dessous de cette belle chemise blanche et de ce pantalon à plis se cache un vrai petit garçon plein de vie. C'est à nous de le convaincre de s'extérioriser, de s'amuser et de se salir.

— Se salir? Mathieu? répéta Valérie en secouant la tête. Je ne sais pas, papa. Il est si propre qu'il reluit.

— On va voir ce qu'on peut faire avec ça, Valérie, répondit le docteur en lui caressant les cheveux. À chaque jour suffit sa peine. On va recommencer au début et faire comme s'il était Coralie.

— Tu veux dire qu'on va lui donner des tâches à faire? demanda Valérie.

— C'est tout à fait ça. Tante Pierrette veut qu'il sache comment on vit ailleurs, dans le monde. Eh bien, on va le lui montrer.

Le lendemain matin, Valérie se leva très tôt. Elle

était en pleine forme. Les fins de semaine, elle était responsable du petit déjeuner. Benoît et Mathieu descendirent tandis qu'elle battait les oeufs.

— Allô, les gars, vous avez bien dormi? demanda-t-elle joyeusement.

— J'ai très bien dormi, merci beaucoup, répondit Mathieu.

— Qu'est-ce qu'on mange? demanda Benoît. Je meurs de faim!

— Des oeufs brouillés et du bacon, répondit Valérie. Mais avant, tu dois sortir les chiens avec Mathieu.

Les yeux de Mathieu s'agrandirent derrière ses lunettes.

— Tous les deux? répéta-t-il.

— Oui, tous les deux. Tu n'as jamais promené de chien avant?

— Ne...non, dit Mathieu. Je ne connais pas grand-chose des chiens.

— Tu n'as pas besoin de connaître quelque chose sur les chiens pour les promener, lança Benoît. Tu n'as qu'à attacher leur laisse après leur collier et les faire sortir par la porte.

En même temps qu'il parlait, Benoît mit les chiens en laisse et tendit Médor à son cousin.

— Allez viens, Mathieu, suis-moi!

Médor bondit à la suite de Cascade et de Benoît entraînant Mathieu derrière lui.

— Il est très fort, dit Mathieu d'une voix plaignarde en se faisant tirer vers la porte.

— Surtout, ne lâche pas la laisse, le prévint Benoît par-dessus son épaule. Médor adore courir. Si tu le lâches, on va le retrouver à l'autre bout du monde!

Valérie entendit la porte claquer derrière les deux garçons. Jusque-là, tout allait bien. Elle déposa des tranches de bacon sur un plateau qu'elle mit au four à micro-ondes. Puis elle s'affaira à préparer le reste du déjeuner. Elle voulait que tout soit prêt lorsque les garçons reviendraient.

— Bonjour, Valérie, dit le docteur qui venait d'entrer dans la cuisine. Où sont Benoît et Mathieu?

— Ils promènent les chiens. Je crois que Mathieu n'était pas très heureux à l'idée de sortir Médor, mais il le fait.

— Bien! s'exclama le docteur en se mettant à table. Mmmm, ça sent très bon.

— C'est le bacon, précisa Valérie. Je fais des oeufs brouillés aussi.

— Ça me paraît délicieux. Y a-t-il du jus d'orange?

— Oui!

Son père se versa du jus dans un grand verre. Valérie n'était peut-être pas une excellente cuisinière, mais elle ne voyait pas comment elle pourrait rater des oeufs brouillés.

Vingt minutes plus tard, les oeufs brouillés refroidissaient dans la poêle, et le bacon était dur et ratatiné.

— Ils devraient être revenus depuis longtemps, à moins qu'ils n'aient décidé de faire une très longue promenade, dit le docteur en regardant sa montre.

— Tu ferais mieux de manger, papa, prévint Valérie. Je vais attendre les garçons pour déjeuner.

Elle glissa une portion d'oeufs brouillés dans l'assiette de son père qu'elle accompagna de quelques tranches de bacon calciné. Au moins, les rôties n'étaient ni froides, ni brûlées...

Juste quand le docteur commençait à manger, la porte d'entrée s'ouvrit et Cascade se précipita dans la cuisine, la langue pendante. Quelques instants plus tard, Benoît et Mathieu arrivèrent tenant toujours Médor en laisse.

— Mathieu l'a lâché! s'écria Benoît. Il a fait tomber la laisse et Médor s'est mis à courir pendant des kilomètres! J'ai cru qu'on ne le rattraperait jamais!

— Je suis vraiment désolé, dit Mathieu. Médor est beaucoup plus fort qu'il n'en a l'air. Je n'ai jamais promené de chien avant.

— Je t'avais prévenu, aussi. Tout ce qu'il fallait faire, c'était de le tenir, ronchonna Benoît. Qu'est-ce que c'est? demanda-t-il en regardant l'assiette que Valérie venait de placer devant lui.

— Ton déjeuner, répondit Valérie.

— Et ces espèces de lanières toutes dures et noires?

— Du bacon. Il est un peu croustillant.

— Oh, là là! s'exclama Benoît.

— Je n'ai pas très faim, Valérie, lança Mathieu en s'assoyant à sa place.

— Que dirais-tu d'un bon verre de jus d'orange et de quelques rôties? demanda Valérie.

— Ce serait bien, merci.

Valérie fit rôtir deux tranches de pain qu'elle plaça devant Mathieu.

— Il y a de la gelée de raisins, lui dit-elle.

— Vous n'auriez pas de la marmelade d'oranges? demanda Mathieu avec espoir.

— Beurk! s'exclama Benoît, la marmelade d'oranges, c'est tellement mauvais! Médor aurait pu se faire frapper par une voiture!

— Mais il ne lui est rien arrivé, rappela le docteur. Benoît, mange tes oeufs. Tiens, Mathieu, la gelée de raisins. Je suis certain que tu vas l'aimer.

— J'en suis sûr, oncle Antoine! répondit Mathieu en étendant un peu de gelée sur son pain. À la maison, on a toujours de la marmelade d'oranges. Maman achète celle qui est importée d'Angleterre.

— C'est madame Gobeil qui a fait la gelée de raisins, précisa Benoît la bouche pleine. C'est elle qui fait la meilleure gelée de raisins au monde.

— Alors, elle doit être vraiment délicieuse! s'exclama Mathieu.

Il y eut un long silence.

— Bien, dit enfin le docteur, ce repas fut merveilleux, Valérie. Tout le monde a fini? On ferait mieux d'activer un peu. La clinique doit ouvrir ses portes dans quinze minutes.

— Je vais ranger la vaisselle dans le lave-vaisselle, dit Valérie. Benoît, veux-tu nourrir les chiens avec Mathieu? J'ai déjà servi le déjeuner de Siméon.

— Je ne connais rien là-dedans, dit Mathieu.

— Tiens, lança Benoît en agrippant les bols des

chiens. Ce n'est pas difficile. Tu les tiens, je les remplis.

— C'est ça qu'ils vont manger? demanda Mathieu en regardant les grains de nourriture sèche se déverser dans les bols. On dirait des cailloux.

— Ils aiment ça, grommela Benoît. Les chiens aiment les cailloux. Et ils détestent la marmelade d'oranges.

Mathieu déposa les bols par terre, puis se releva en tenant ses mains loin de lui.

— Je peux me laver les mains? demanda-t-il. Je crois qu'il restait un peu de vieille nourriture au fond des bols. Je ne veux pas attraper de microbes.

— Lave-toi les mains si tu y tiens, répondit Valérie d'un ton offusqué.

Après s'être soigneusement lavé les mains, Mathieu se tourna vers le docteur.

— Oncle Antoine, je préférerais rester ici et lire un livre. Vous n'avez pas vraiment besoin de moi à la clinique, n'est-ce pas?

— Oh, oui, on a besoin de toi, Mathieu, répondit le docteur. On a besoin de toute l'aide qu'on peut avoir. Tu pourras lire ton livre plus tard. Tu aimeras la clinique et Valérie pourra te présenter son cheval, Fantôme. Tu pourras le monter si tu le veux. Ne sais-tu pas monter à cheval?

— Oh, oui, répondit Mathieu. Je prends des cours d'équitation depuis bientôt six mois.

— Fantastique! Valérie, Benoît, allons-y.

— Tout de suite, papa, répondit Valérie.

Benoît enfouit ses mains dans les poches de

son jean, l'air maussade. Soudain, il en ressortit une enveloppe toute froissée.

— Hé, Mathieu, c'est la lettre que je t'avais écrite il y a bien longtemps. J'ai dû oublier de la poster.

Mathieu ouvrit l'enveloppe et parcourut la lettre du regard.

— Je ne collectionne pas les cartes de base-ball, dit-il. Je ne connais pas grand-chose aux sports. Je suis désolé, Benoît. J'ai l'impression qu'on a peu de choses en commun.

— Ce n'est pas grave, marmonna Benoît. Ce n'est pas ta faute, si tu es une...

— Tout le monde dans la camionnette, tout de suite, trancha le docteur.

— Je préférerais vraiment lire un livre, marmonna Mathieu en suivant Valérie et Benoît.

C'est un vrai désastre, pensa tristement Valérie. Un désastre de premier ordre!

CHAPITRE 5

— Johanne, je voudrais te présenter mon neveu, Mathieu, annonça le docteur en entrant dans la salle d'attente de la clinique. Il passe les vacances de Pâques avec nous. Mathieu, voici Johanne, notre réceptionniste.

— Enchanté, madame, dit Mathieu avec sérieux en tendant la main à Johanne.

— Quel jeune homme bien élevé! s'écria Johanne.

— C'est tout à fait Mathieu! marmonna Benoît dans son coin. C'est vrai! s'exclama-t-il lorsque Valérie lui donna un léger coup de poing dans les côtes.

— Où demeures-tu, Mathieu? demanda Johanne.

— À New York.

— Coralie est en visite chez tante Pierrette et oncle Jean, expliqua Valérie. Alors, Mathieu est venu nous rendre visite.

— N'est-ce pas merveilleux! Comme tu es chanceux, Benoît, d'avoir un petit cousin pour t'amuser! s'exclama Johanne en regardant les deux garçons avec tendresse.

Benoît ne fit aucun commentaire.

Johanne fouilla dans sa poche et en sortit deux sucettes.

— Une chacun, dit-elle. Mais il ne faut pas les manger maintenant. C'est pour après le dîner. J'en ai acheté un sac pour ma petite fille, Corinne. Elle aime surtout les sucettes aux cerises.

— Merci, Johanne, dit Benoît.

— Merci beaucoup, madame, dit à son tour Mathieu, mais je n'ai pas la permission de manger des sucreries. Mon père dit que ça cause des caries.

— Oh! fit Johanne. Alors peut-être que Valérie en aimerait une.

— Avec plaisir, s'écria Valérie qui avait cru déceler une légère pointe de tristesse dans la voix de Johanne. Est-ce que Bruno est arrivé? demanda-t-elle en prenant la sucette.

— Oui, il est ici. Il administre les médicaments aux animaux. Pourquoi n'irais-tu pas avec Mathieu à l'infirmerie? Tu pourrais le présenter à Bruno. Docteur, voici vos rendez-vous...

— Viens, Mathieu, allons saluer Bruno, dit Valérie en se dirigeant vers l'infirmerie.

— Qui est Bruno? demanda Mathieu.

— Bruno est l'autre assistant du docteur, expliqua Benoît. Il s'appelle Bruno Cloutier. Son père possède une très grosse ferme laitière. La crème glacée Cloutier est la meilleure au monde. Peux-tu en manger?

— Oui, répondit Mathieu, mais juste en des occasions spéciales. Mon père dit...

— Je sais, ronchonna Benoît. Que ça gâte les dents, c'est ça?

— Seulement si on en mange trop, précisa Mathieu.

Bruno administrait un médicament à un chat très maigre. Valérie fit les présentations.

— Qu'est-ce qu'il a, ce chat? demanda Mathieu.

— Des vers, répondit gentiment Bruno. Un cas d'urgence. On a bien cru qu'il ne s'en sortirait pas, mais je crois qu'il est hors de danger, maintenant.

— Des vers? répéta Mathieu. Tu veux dire... en dedans de lui?

Valérie eut l'impression que Mathieu pâlissait.

— Sûrement pas à l'extérieur, répondit Bruno en souriant. Il arrive parfois que les chats et les chiens aient des vers. Mais si on les soigne, les vers meurent et l'animal se sent tout de suite mieux. Par contre, s'il n'est pas soigné à temps, l'animal meurt parce que les vers mangent toute la nourriture qu'il y a dans son estomac.

Mathieu, cette fois-ci, était vraiment pâle.

— Hé, Mathieu, si on allait voir mon cheval, se dépêcha de proposer Valérie. Mais avant, je vais te montrer sa salle de trophées.

— Une salle de trophées? demanda Mathieu qui avait repris quelques couleurs. C'est un champion?

— C'était un champion, corrigea Benoît. Lorsqu'il était plus jeune. Maintenant, il est vieux, plus vieux que Valérie. Mais il a gagné beaucoup de prix.

— Est-il.. en santé? demanda Mathieu.

— Bien sûr! s'exclama Valérie. Aussi en santé qu'un cheval peut l'être! Il est tout simplement vieux. Et il ne voit pas très bien, alors il ne peut plus sauter. Je l'ai acheté parce que son propriétaire voulait l'abattre lorsqu'il a su qu'il ne pourrait plus gagner de prix.

— Il voulait le tuer?

— Oh, oui! s'exclama Benoît. Ce monsieur Marchand et sa fille trop gâtée ne s'en faisaient pas du tout pour Fantôme. Mais Valérie lui a sauvé la vie et, aujourd'hui, c'est son cheval.

Valérie montra fièrement à Mathieu la stalle que Bruno et elle avaient convertie en salle de trophées pour Fantôme. Elle portait bien son nom parce que monsieur Marchand avait donné à Valérie toutes les rosettes et les rubans que ce merveilleux cheval avait gagnés. Valérie montra tous les articles de journaux qui relataient les exploits du champion et les photographies du magnifique cheval pommelé qui décoraient les murs.

— Oh! s'exclama Mathieu, émerveillé. C'était vraiment un champion!

— Pour ça, tu peux le croire! s'exclama Benoît.

— Maintenant, je vais te le présenter, dit Valérie. Et peut-être que tu pourras le monter dans l'enclos, un peu plus tard.

— Moi aussi! s'écria Benoît. Je peux le monter à cru, dit-il à Mathieu. Et toi?

— Je n'ai jamais essayé, répondit Mathieu. Mais j'ai bien peur de ne pouvoir le monter.

— Mais oui, tu le pourras, affirma Valérie en

allant vers la stalle de Fantôme. Fantôme est aussi doux qu'un agneau.

— Ce n'est pas à cause de ça. Je n'ai pas la permission de monter sans ma bombe. C'est ce que mon professeur d'équitation m'a dit. Si on ne met pas de bombe, on peut tomber et se fendre le crâne.

— Oh là là! marmonna Benoît en soupirant.

— Tu pourrais porter la mienne, offrit Valérie. Elle sera peut-être un peu trop grande, mais c'est mieux que rien.

— Non, merci, Valérie. Comment peut-elle me protéger si elle ne me va pas comme il faut? Je vais me contenter de caresser Fantôme.

— Est-ce que cet enfant est normal? glissa Bruno à l'oreille de Valérie. Il se prend pour qui? Une poupée de porcelaine ou quoi?

— C'est sa façon d'être, expliqua Valérie. D'accord, Mathieu. Tu peux le caresser. Ne t'inquiète pas, il ne mord pas.

Fantôme accueillit Valérie avec des hennissements de plaisir. Elle se suspendit à son cou, puis le retint par son licou pendant que Mathieu le caressait.

— C'est un très beau cheval, dit Mathieu. Dommage que je ne puisse le monter.

— Je vais le laisser courir un peu dans le pâturage, lança Valérie une fois que Benoît et Mathieu eurent dit bonjour au cheval. Ensuite, je devrai commencer mon travail. Bruno, pourquoi ne montres-tu pas la vache de monsieur Gauthier à ces jeunes hommes? Sa blessure va beaucoup mieux. Elle devrait retourner chez elle d'un jour à l'autre.

— Si ça ne te fait rien, Valérie, trancha Mathieu poliment, je n'ai pas tellement envie de voir une vache blessée. Je croyais qu'on devait aider. Qu'est-ce que je peux faire ?

— Euh...

Valérie se demandait bien ce qu'elle pourrait leur donner à faire. Heureusement, Bruno vint à sa rescousse.

— Tu parles qu'il y a du travail. Le docteur m'a demandé de repeindre la clôture d'en avant. J'en aurai pour une semaine si Benoît et toi ne m'aidez pas. Je vais vous montrer où sont les pinceaux et la peinture, les gars.

Valérie poussa un soupir de soulagement et fit sortir Fantôme. En le conduisant au pâturage, elle entendit Mathieu demander s'il pouvait se laver les mains avant de commencer parce qu'elles sentaient le cheval.

Valérie leva les yeux au ciel. Elle aimait tant cette odeur. Coralie blaguait souvent là-dessus. Elle disait que les autres filles aimaient les parfums qui sentaient la rose ou les violettes, mais que le parfum préféré de sa soeur était l'essence de cheval. Et Valérie devait admettre qu'elle avait raison.

Bruno allait au moins tenir les garçons occupés pendant qu'elle travaillerait avec le docteur. Je te rendrai un jour la pareille, Bruno, se dit-elle avec reconnaissance.

— C'est bon, Valérie, tu peux rendre Popcorn à son maître, annonça le docteur, deux heures plus tard.

Popcorn était un gros lapin qui avait des problèmes de mites d'oreilles. En le soulevant de la table d'examen, Valérie se demanda si ce n'était pas un lapin géant. Popcorn pesait au moins quinze kilos, plus du double de ce que pesaient les lapins de Valérie. Mais ces derniers n'étaient pas de la même race.

— Tiens, dit Valérie en donnant le lapin effrayé à Bernard, son jeune maître, ainsi qu'une bouteille de médicament. Il faut en mettre une goutte dans chaque oreille, trois fois par jour. Si les symptômes persistent, téléphone-nous. Mais je pense que Popcorn ira très bien.

— Oh, Valérie, lança Johanne, j'ai un message pour toi. C'est de monsieur Lupa. Il a dit qu'il passerait te voir vers onze heures et demie.

Valérie regarda sa montre. C'était presque l'heure. Pourquoi monsieur Lupa avait-il téléphoné ? C'était sûrement à cause de Minus. Il se mourait peut-être ! Mais si c'était vraiment la cause de cet appel, monsieur Lupa aurait demandé à parler au docteur, pas à elle.

— C'est tout ce qu'il a dit ? Qu'il serait ici vers onze heures trente ? demanda-t-elle.

— C'est ça. Le docteur est-il prêt à recevoir le prochain malade ?

— Oui... dans une minute.

Valérie se dirigea vers la fenêtre et jeta un coup d'oeil dehors pour vérifier si elle ne voyait pas le camion de monsieur Lupa. Mais elle ne vit que Bruno, Mathieu et Benoît en train d'appliquer de la peinture blanche sur la clôture.

Le docteur sortit de la salle d'examen.

— Au suivant, s'il vous plaît, lança-t-il.

— C'est au tour de Duc, annonça monsieur Veilleux en se levant. Au pied, Duc!

Le minuscule chihuahua se plaça immédiatement au pied de son maître et attendit en tremblant un autre commandement. Il n'était même pas aussi gros que le lapin de Bernard.

— Suivez-moi, monsieur Veilleux, dit gentiment Valérie après avoir jeté un dernier coup d'oeil dehors.

Qu'est-ce qui arrive à Minus, se demanda-t-elle en guidant monsieur Veilleux et Duc vers la salle de traitement. Ce pauvre petit cochonnet! Si seulement elle avait pu prendre soin de lui, il serait fort et en santé.

Lorsque Duc eut reçu ses vaccins, Valérie revint dans la salle d'attente. Monsieur Lupa y était assis, une boîte en carton sur les genoux.

— Oh, monsieur Lupa, qu'est-ce qui arrive à Minus? demanda-t-elle dès qu'elle le vit. Il s'agit bien de Minus, n'est-ce pas?

— Bien entendu, répondit monsieur Lupa.

Valérie alla vers lui et regarda dans la boîte. Minus leva ses petits yeux vers elle. Une énorme boucle bleue était nouée à son cou. Il n'avait pas beaucoup grandi depuis la dernière fois que Valérie l'avait vu, mais il ne paraissait pas malade. Et il ne toussait plus.

— Allô, petit, dit Valérie en caressant le cochonnet. Comment ça va?

— Il va bien, répondit monsieur Lupa, mais pas pour longtemps. Ses frères et soeurs ne lui laissent aucune chance. C'est pour ça que je l'ai apporté ici. Il est à toi, Valérie.

— À moi! s'exclama Valérie étonnée.

— Oui. J'ai longuement discuté avec ma femme, et nous en sommes venus à la conclusion que puisque tu semblais vraiment t'intéresser à ce petit cochonnet, ce serait une bonne chose qu'il soit à toi. C'est un cadeau de notre part.

— Eh bien! N'est-ce pas merveilleux, Valérie! s'exclama Johanne. Ce n'est pas tous les jours que l'on reçoit un cochonnet en cadeau! Tu ne dis même pas merci?

— Oh, oui! Merci, monsieur Lupa!

Valérie prit le petit cochon dans ses bras. Minus grogna de contentement.

— C'est un beau cochon, remarqua madame Simard qui attendait de voir le docteur avec son chat, Volant. Un peu petit, non?

— Oui, c'est l'avorton de la portée, expliqua monsieur Lupa. Je n'ai pas le temps de le nourrir moi-même, alors je le donne à Valérie.

— Prends-en bien soin, Valérie, dit madame Simard. Il grandira très vite, tu verras, et vous aurez de l'excellente viande.

— Personne ne mangera Minus, s'écria Valérie.

Juste à cet instant, le docteur sortit de la salle d'examen.

— Tu peux faire entrer Volant, Valérie, commença-t-il. Mais qu'est-ce que cet animal fait ici? demanda-t-il en apercevant Minus. Ne me dites pas qu'il est encore malade, monsieur Lupa.

— Non, répondit monsieur Lupa. Je le donne à Valérie. La boucle bleue est une idée de ma femme. Ça lui donne un peu plus l'air d'un cadeau.

— Eh bien, Zaccharie, c'est vraiment très gentil de votre part, mais...

— Ne me remerciez pas, docteur, s'empressa de dire monsieur Lupa en tendant la main. C'est le moins que je puisse faire. Après tout, vous avez sauvé toute la portée de Lulu. Bon, je dois retourner à la ferme. Je suis tellement content que Minus ait trouvé un bon foyer.

La porte se referma derrière monsieur Lupa.

— Papa, s'empressa de dire Valérie, cette idée ne vient pas de moi, je te l'assure! Je connais la règle : pas de nouveaux animaux sans l'approbation de tout le monde, mais je ne savais pas comment dire non.

— Tu n'y es pour rien, Valérie, dit le docteur en éclatant de rire. On dirait bien qu'on a un nouveau pensionnaire tout neuf, Duchesse.

— Duchesse? répéta Valérie.

— Souviens-toi d'Alice au pays des merveilles... Lorsque Duchesse saupoudre le bébé de poivre et que celui-ci se transforme en cochon?

— Oh, oui! Je m'en souviens, s'écria Valérie en riant à son tour. Alors, je peux le garder? demanda-t-elle avec espoir.

— Je ne crois pas avoir le choix, soupira le docteur en souriant toujours.

— Super! s'exclama Valérie en serrant Minus si fort contre elle qu'il émit un faible cri. Minus Tremblay, tu viens à la maison avec nous!

— Excusez-moi de vous avoir fait attendre, Madame Simard, dit le docteur. Pourquoi n'entreriez-vous pas, maintenant? C'est encore ces boules de poils, non?

Madame Simard souleva le panier de Volant et suivit le docteur dans la salle d'examen.

— Vous savez ce que sont les chats à poils longs, docteur...

Valérie câlinait encore Minus quand Bruno, Benoît et Mathieu entrèrent en coup de vent dans la salle d'attente.

— On a fini de peindre la clôture! s'exclama Bruno. Benoît et Mathieu ont fait du bon travail. Benoît était plus rapide, mais Mathieu, beaucoup plus soigneux.

— Pas si soigneux que ça, lança Mathieu. Mon pantalon est plein de taches de peinture, mais pas autant que celui de Benoît.

Benoît, dont le jean était effectivement plutôt blanc que bleu, fit semblant de donner un coup de poing à Mathieu.

— Je dois bien l'avouer, Mathieu, dit-il, tu es vraiment un bon travailleur.

Le visage de Mathieu s'illumina. Valérie remarqua que les verres de ses lunettes étaient parsemés de minuscules points blancs, ce dont Mathieu ne semblait pas s'inquiéter.

— Je n'avais encore jamais peint, avoua-t-il. À la maison, s'il y a quelque chose à peindre, mes parents font appel à un peintre. J'aime beaucoup peindre!

Soudain, il remarqua le cochonnet.

— C'est un cochon bien mignon, dit-il. Est-il

malade?

— Hé, Valérie, c'est Minus! s'écria Benoît. Qu'est-ce qu'il fait ici?

— Il est à moi, répondit Valérie rayonnante de joie. Monsieur Lupa me l'a donné, et papa a dit que je pouvais le garder!

— Ouf, quand il sera grand, tu auras plein de côtelettes, de jambon et de saucisses...

Valérie lui lança un regard glacial...

— Pardon, Valérie. J'avais oublié que tu ne mangeais pas de viande.

— Je ne mange pas d'animaux domestiques, précisa Valérie. Et Minus en est un. Ce serait comme manger Siméon ou Médor ou Cascade!

Mathieu regarda Minus de plus près.

— Les cochons sont des animaux très intelligents, déclara-t-il. J'ai déjà lu des articles à ce sujet. Et les histoires que je préfère sont celles qui parlent de Freddy, le cochon détective. Mon père m'a donné tous les livres de la série qu'il lisait quand il était plus jeune.

— Oui, les cochons sont très intelligents, approuva Valérie. Ils peuvent apprendre toutes sortes de tours.

— C'est idiot, lança Benoît. Les cochons sont mignons quand ils sont petits, comme Minus, mais quand ils grandissent, ils deviennent gros et bêtes. Je n'ai jamais entendu dire que les cochons étaient aussi intelligents que les chiens. Les chiens peuvent rapporter et donner la patte et faire le mort et bien d'autre chose. Qui a déjà entendu parler d'un cochon qui pouvait faire ça?

— Freddy, le cochon détective, résolvait tous

les mystères de la ferme, précisa Mathieu.

— Mais ce ne sont que des histoires! Ce n'est pas pour vrai.

— Non, ce n'est pas pour vrai, Benoît, confirma Valérie, mais les cochons sont intelligents. Et je parie que Minus est très intelligent.

— De toute façon, grommela Benoît, qu'est-ce que ça peut faire? Hé, Valérie! s'exclama-t-il en jetant un coup d'oeil à l'horloge derrière lui, Éric, Christophe et La Terreur viennent dîner à midi et demi... ils viennent aussi rencontrer Mathieu. On va jouer au base-ball après, dans le terrain vague, derrière chez madame Masson. Où est papa? Il doit nous conduire à la maison, Mathieu et moi.

Valérie déposa doucement Minus dans la boîte de carton.

— Il s'occupe des boules de poils de Volant Simard, dit Valérie. Il en a pour une minute. Ensuite, il vous conduira à la maison.

— Qu'est-ce que c'est des boules de poils? demanda Mathieu.

— Les chats, expliqua Valérie, surtout ceux qui ont le poil long, ont des boules de poils dans l'estomac parce qu'ils se lavent souvent. Ils doivent donc prendre un médicament pour les aider à éliminer ces boules de poils, sinon ils deviennent très malades.

— C'est dégoûtant! s'exclama Mathieu. N'es-tu pas fatiguée d'être toujours entourée d'animaux malades?

— Non, répondit immédiatement Bruno à la place de Valérie, elle ne l'est pas, et moi non plus. On aime prendre soin des animaux malades parce que c'est tellement gratifiant quand on peut les aider à aller mieux.

— Je veux devenir vétérinaire comme papa quand je serai grande, expliqua Valérie. Les animaux ont besoin de docteurs tout comme les humains. On serait bien mal pris si personne ne voulait s'occuper des gens malades.

— Tu dois avoir raison, avoua Mathieu après quelques instants de réflexion. Je vais souvent chez le médecin, des fois pour mes yeux, des fois chez le dentiste ou chez le pédiatre. Je me demande s'ils sont des fois fatigués de me voir!

— Mais non, tu leur fais gagner de l'argent! dit Bruno.

— J'espère que papa va se dépêcher, lança Benoît avec impatience.

— Ça m'est égal d'attendre, dit Mathieu. Je vais m'asseoir ici et lire, précisa-t-il en s'assoyant sur la banquette et en feuilletant un magazine sur les animaux.

Bruno prit les pinceaux et les pots de peinture et alla les nettoyer. Quelques minutes plus tard, madame Simard et Volant quittaient. Le docteur sortit enfin de la salle de soins.

— Prêts, les garçons? demanda-t-il.

— Tu parles! s'écria Benoît en se précipitant vers la porte.

— Mathieu, dit Valérie, papa va vous reconduire.

— Vraiment? demanda Mathieu en regardant par-dessus son magazine d'un air déçu. Je lisais justement un article fort intéressant sur les cochons. On parle de cochons qui auraient été dressés pour faire des courses. Les cochons sont donc vraiment intelligents. J'aurais aimé finir mon article.

— Apporte le magazine avec toi, Mathieu, dit le docteur. Tu pourras terminer ta lecture plus tard, d'accord?

— D'accord, répondit Mathieu en plaçant le magazine sous son bras. Au revoir, Valérie. Au revoir, Minus, ajouta-t-il en se penchant au-dessus de la boîte du cochonnet. Je n'avais encore jamais rencontré de cochon, mais je te trouve bien mignon. Au revoir madame, dit-il ensuite en se dirigeant vers le bureau de la réception. Je suis heureux de vous avoir rencontrée.

— Moi aussi, répondit Johanne en souriant.

Mathieu suivit Benoît. Johanne se tourna vers Valérie.

— Je n'ai jamais connu de petit garçon aussi bien élevé, avoua-t-elle. Il a même salué le petit cochon!

— C'est un parfait gentleman, comme tu le dis si bien, Johanne, répondit Valérie. J'espère simplement qu'il va se dégêner un peu. Si quelqu'un peut l'amener à se détendre et à agir comme un enfant de son âge, c'est bien la bande de Benoît. Je parie que d'ici à ce qu'on rentre à la maison ce soir, papa et moi, Mathieu et Benoît seront de vrais bons copains! s'exclama-t-elle en regardant Mathieu monter dans la camionnette.

Un grognement la fit se retourner. Minus était fatigué d'être dans sa boîte et l'avait renversée. Et voilà qu'il courait tout autour de la salle d'attente, glissant sur les dalles cirées.

— Regarde le cochon courir! s'exclama Johanne. Il va peut-être grandir et devenir un de ces cochons coureurs dont parle ton cousin Mathieu.

— Il doit avoir besoin d'exercice, dit Valérie. Je sais, je vais aller le promener!

Elle alla fouiller dans les tiroirs du bureau de la réception. Elle trouva enfin ce qu'elle cherchait: le collier et la laisse qui avaient appartenu à Médor lorsqu'il n'était qu'un chiot.

Valérie enleva la grosse boucle bleue et la remplaça par le collier. On aurait cru qu'il était fait sur mesure. Puis, elle attacha la laisse et se tourna vers Johanne.

— On sort quelques instants, annonça-t-elle. Je suis certaine de pouvoir lui montrer à marcher au pied tout comme un chien lorsqu'il sera grand.

— J'aurai tout vu! s'écria Johanne en riant. Un cochon en laisse! C'est incroyable!

Mais Minus décida de s'asseoir et de ne pas bouger malgré les encouragements de Valérie.

— Allez, viens, Minus! supplia-t-elle. On va dehors. Il fait beau, c'est le printemps, viens! L'air frais te fera du bien...

Le cochonnet finit par se lever et faire quelques pas. Valérie ouvrit la porte. Minus leva le nez et renifla l'air. Soudain, il se mit à courir, tirant Valérie derrière lui.

— Hé, attends-moi! s'écria-t-elle surprise.

CHAPITRE 6

— Alors, Mathieu, t'es-tu bien amusé avec les amis de Benoît? demanda le docteur ce soir-là quand tout le monde passait à table.

Valérie venait de servir l'excellent souper qu'avait préparé madame Gobeil. Elle avait déjà nourri Minus au biberon, et le petit cochon ronflait dans sa boîte de carton, aux pieds de Valérie. Siméon, assis sur le comptoir de la cuisine, se pourléchait les babines en surveillant le cochonnet endormi, comme s'il savait que ce petit corps tout rose était synonyme de délicieuses côtelettes.

— C'était... très amusant, répondit Mathieu en mangeant ses petits pois.

— Amusant! s'écria Benoît. C'était vraiment très drôle quand on mangeait et que Mathieu nous a raconté l'histoire des poils de rat! La Terreur a tout recraché ce qu'elle avait dans la bouche.

— Quelle histoire de poils de rat? demanda Valérie.

— Dans les pizzas congelées, précisa Mathieu. J'ai lu un article qui racontait qu'après avoir fait plusieurs tests sur différentes pizzas congelées, ils avaient découvert des poils de rat sur certaines d'entre elles. Mais la chaleur du four a dû tuer la plupart des microbes.

— Et c'était aussi très intéressant quand on a joué au base-ball, je suppose, renchérit Benoît. Surtout quand Éric a couru au troisième et que Mathieu est resté sans bouger. La balle arrivait sur lui et il s'est enfui ! Et Éric a réussi à faire un coup de circuit alors qu'il aurait pu être éliminé ! L'équipe d'Éric a gagné et mon équipe a perdu juste parce que Mathieu a eu peur d'attraper la balle !

— Allons, Benoît, dit Valérie. Ce n'est pas si grave, tu ne parles pas des séries mondiales de base-ball, tout de même.

— Je n'ai pas très faim, fit Mathieu en reposant sa fourchette. Je suis peut-être allergique au rôti à la cocotte. Est-ce que je peux monter à ma chambre, s'il vous plaît ?

— Personne n'est allergique au rôti à la cocotte, Mathieu, expliqua gentiment le docteur. Tu préférerais peut-être un peu des légumes de Valérie ?

— Non merci, répondit Mathieu en secouant la tête. Je ne me sens pas très bien. J'aimerais vraiment aller m'étendre.

Valérie regarda son père. Celui-ci acquiesça.

— D'accord, Mathieu. On t'appellera pour le dessert. Madame Gobeil a fait un gâteau au chocolat spécialement pour toi.

— Je vais faire une crise d'urticaire si je mange du chocolat, marmonna Mathieu en repoussant sa chaise.

Son visage était tendu et pâle. Personne ne dit un mot quand il se précipita en dehors de la cuisine.

— Benoît, tu te comportes très mal, lança le docteur à son fils en fronçant les sourcils. Au lieu de mettre ton cousin à l'aise, tu le rends malheureux.

— C'est lui qui me rend malheureux! s'exclama Benoît. Aucun de mes amis ne veut revenir tant que Mathieu sera ici. Il est la plus mauviette des mauviettes du monde, papa! Je ne l'aime pas et il ne m'aime pas. Tu ne peux vraiment pas le renvoyer chez lui? C'est ce qu'il veut et c'est ce que je veux, moi aussi!

— Tu n'es pas très gentil envers Mathieu, dit Valérie. Parce qu'il n'est pas bon dans les choses que tu aimes faire, ça ne te donne pas le droit d'être aussi désagréable.

— Je ne suis pas désagréable! Je ne l'aime pas, c'est tout. J'aimerais qu'il ne soit pas mon cousin! J'aimerais seulement qu'il s'en aille!

Benoît croisa ses bras devant lui et y appuya son menton.

— Benoît, je pense qu'il est temps de parler d'homme à homme de ton cousin Mathieu, dit le docteur.

— Est-ce que ça veut dire que je suis en trop? demanda Valérie. Si c'est le cas, je crois que je vais apporter un verre de lait et quelques biscuits à Mathieu. Il n'a presque rien mangé ce soir.

Benoît marmonna quelque chose qu'elle ne put entendre.

— Quoi, Benoît?

— J'ai dit que tu agissais comme si tu préférais Mathieu à moi.

— C'est la chose la plus ridicule que j'aie jamais entendue, répondit Valérie.

— Non, ce n'est pas idiot! s'exclama Benoît en retenant ses larmes. Tout le monde le traite comme un prince. Depuis que Mathieu est ici, je ne fais rien de bien. Papa et toi n'arrêtez pas de me dire d'être gentil avec lui, et Johanne a dit qu'elle n'avait jamais vu quelqu'un d'aussi poli. Même Bruno a dit qu'il peignait mieux que moi.

— Oh, Benoît, dit le docteur en posant son bras autour des épaules de son fils. Valérie a raison. Tu agis comme un idiot. Tu sais qu'on n'aime pas plus Mathieu que toi. On veut juste qu'il se sente bien ici et qu'il soit heureux pendant son séjour parmi nous, c'est tout.

— Et personne ne s'inquiète de savoir si je me sens bien et si je suis heureux?

— Bien sûr que ça nous préoccupe, Benoît, assura le docteur. On veut que vous vous amusiez tous les deux, mais il semble que ça ne se passe pas comme ça. Tu ne sais pas ce qu'on pourrait faire pour que ça aille mieux?

— Eh bien... je ne sais pas... commença Benoît.

Valérie décida de les laisser terminer leur discussion en tête à tête. Soulevant Minus d'une main et tenant de l'autre un plateau sur lequel elle avait posé un verre de lait et des biscuits, elle quitta la cuisine.

— Viens, Minus. Allons en haut.

En arrivant devant la porte de la chambre de

Coralie, elle frappa doucement avec son pied.

— Est-ce qu'on peut entrer? demanda-t-elle.

Aucune réponse. Valérie ouvrit un peu la porte. Il lui sembla entendre un sanglot étouffé. Elle déposa Minus par terre, se dirigea vers le lit et posa son plateau sur la table de chevet.

— Mathieu, dit-elle doucement, c'est Valérie. Je t'ai apporté un petit goûter.

La tête de Mathieu sortit des couvertures. Ses cheveux étaient tout décoiffés et ses yeux, rouges et boursouflés.

— M-merci, Valérie, sanglota-t-il. C'est mon allergie. Je crois bien que je suis allergique à Caruso.

Le serin sauta dans sa cage et siffla de mécontentement.

— Et je suis aussi allergique à Médor, à Cascade et à Siméon, poursuivit Mathieu.

— Ça m'étonnerait beaucoup, répondit Valérie.

Elle alla vers la commode de Coralie, prit quelques mouchoirs de papier et les tendit à Mathieu.

— Tiens, mouche-toi. Es-tu aussi allergique aux biscuits et au lait? demanda-t-elle ensuite.

— Je ne crois pas, dit Mathieu en buvant une gorgée de lait.

Minus, qui avait exploré la chambre, vint près de Valérie et grogna tristement.

— Qu'est-ce qu'il a, Minus? s'enquit Mathieu.

Valérie ramassa le petit cochon et l'installa sur le lit.

— Je pense qu'il s'ennuie de chez lui, dit-elle.

Ses frères et ses soeurs n'étaient pas très gentils avec lui, mais je crois qu'ils lui manquent tout de même, et sa mère aussi doit lui manquer. Il n'avait encore jamais quitté sa famille. Il doit se sentir bien seul et tout perdu.

— Oui, c'est possible, dit Mathieu d'une toute petite voix. Je parie qu'il se sentirait encore moins bien s'il avait vécu dans une maison très heureuse et qu'on l'envoie vivre avec des gens qu'il ne connaît pas du tout. Il doit se sentir vraiment mal.

De grosses larmes coulèrent des yeux de Mathieu.

— Je ne serais pas surprise qu'il développe plein d'allergies, dit Valérie en tendant un autre mouchoir à Mathieu.

Soudain, Mathieu se tourna et se recroquevilla sur lui-même

— En fait, je ne suis pas allergique, avoua-t-il.

Valérie vit qu'il faisait un effort démesuré pour ne pas pleurer.

— Tu t'ennuies peut-être de chez toi, toi aussi, tout comme Minus, dit Valérie.

Mathieu acquiesça d'un signe de tête et ravala un sanglot.

— Tout est si différent, ici, admit-il. Je ne suis pas habitué à tant d'animaux et à tant de personnes étrangères.

— Nous ne sommes pas si étrangers que ça, lança Valérie en souriant. Tu verras, quand tu nous connaîtras mieux.

— Tu sais ce que je veux dire... Je m'ennuie de mon père, de ma mère, de mes amis. Même le portier de l'immeuble me manque! Je suis désolé, Valérie. Oncle Antoine et toi faites l'impossible pour m'aimer, c'est évident. Mais Benoît...

— Ça suffit! s'écria Valérie. Nous n'essayons pas de t'aimer, Mathieu. Nous t'aimons vraiment.

— Sauf Benoît et ses amis. Ils pensent que je suis maladroit, lâche et prétentieux. Ils le pensent vraiment, affirma-t-il avant que Valérie ne puisse intervenir. J'ai entendu cette fille, La Terreur, le dire à Benoît. Et lui, pense que je suis une mauviette. Je n'y peux rien si je ne sais pas jouer au base-ball. Je n'ai jamais été un grand sportif. Je préfère lire ou jouer à des jeux informatiques. Je veux rentrer chez moi!

Mathieu enfouit sa tête dans son oreiller et se remit à sangloter.

Valérie lui frotta gentiment le dos, ne sachant plus quoi faire.

— Hé, Valérie!

Valérie leva la tête. Benoît se tenait dans l'embrasure de la porte. Valérie secoua la tête et lui fit signe de s'en aller, mais Benoît ne bougea pas.

— Papa m'a dit que je devais m'excuser, dit Benoît en entrant lentement dans la chambre. Alors, je suis venu.

Mathieu se retourna brusquement.

— Maintenant, tu peux me traiter de gros bébé braillard aussi, lança-t-il. Je m'en fiche. Je ne suis pas comme toi, Benoît Tremblay. Je pense que je suis tout à fait différent de toi. Je dirais même que nous sommes aux antipodes, et je n'y peux rien.

Benoît frotta le tapis du bout du pied.

— Écoute, Mathieu, excuse-moi pour aujourd'hui. Ce n'est pas de ta faute si tu es une mauviette. J'aurais dû savoir que tu n'aimerais pas jouer au base-ball. J'aurais dû te demander ce que tu voulais faire à la place. Demain, on fera ce que tu voudras, d'accord ?

— C'est très gentil de ta part, Benoît, dit Mathieu en ravalant ses sanglots. Je n'ai rien qui me vienne à l'esprit pour l'instant. À moins que tu ne veuilles apprendre à jouer aux échecs. C'est très amusant.

— D'accord, répondit Benoît en haussant les épaules. Si c'est ce que tu veux.

Valérie remarqua que Benoît n'était pas très enthousiaste. Mathieu eut la même impression et son visage s'assombrit. Aucun des deux enfants ne semblait avoir d'autres idées.

Oh là là ! pensa Valérie en caressant machinalement Minus. Il faut vite penser à autre chose, sinon Mathieu va se remettre à pleurer encore et Benoît va être triste, lui aussi. Quelles vacances on va passer !

Elle essaya de se rappeler une chose, une seule chose en dehors du jeu d'échecs, qui avait semblé intéresser Mathieu. Il avait aimé peindre la clôture, mais c'était terminé. Et il aimait Fantôme, mais il ne voulait pas le monter sans sa bombe...

Soudain, ses yeux s'arrêtèrent sur la revue que Mathieu avait rapportée de la clinique. Sur la couverture, il y avait une photo des cochons de course... Mathieu s'était intéressé à ces animaux, et à Minus.

— Vous savez, les gars, dit-elle comme si de rien n'était, j'ai un problème avec Minus.

— Quel genre de problème? demanda Benoît.

— Eh bien, comme je le disais à Mathieu, Minus est bien seul. Sa famille lui manque. Et il se sentira encore plus seul quand je ne serai pas ici pour m'occuper de lui.

— Tu veux dire quand tu vas travailler à la clinique? demanda Mathieu. Tu ne peux pas apporter Minus avec toi?

— Oui, je le pourrais, mais il ne serait pas mieux là-bas, soupira Valérie. Je serai tellement occupée que je n'aurai pas le temps de jouer avec lui et de m'occuper de lui pour qu'il se sente bien. En plus, demain, après le travail, je dois aller chez Carole, ma meilleure amie. Je n'aime pas du tout l'idée de laisser Minus seul toute une journée; il deviendra de plus en plus triste. Je vais peut-être téléphoner à monsieur Lupa pour qu'il revienne le chercher.

— Mais tu as dit que ses frères et soeurs n'étaient pas très gentils avec lui, dit Mathieu.

— C'est vrai, Valérie, renchérit Benoît. Et tu as dit aussi que sa mère pourrait rouler sur lui et l'écraser.

— L'écraser! s'écria Mathieu. C'est vraiment horrible!

— Oui, c'est vrai, admit Valérie tristement. Mais je ne vois rien d'autre à faire. Pauvre Minus! s'exclama-t-elle en regardant le petit cochon niché au creux de son bras. J'aimerais vraiment te garder, mais, à moins de te trouver un gardien ou deux, tu devras retourner à la ferme. Si tu survis, tu deviendras de la chair à saucisses, comme les autres.

Mathieu se redressa sur son lit, chercha à tâtons ses lunettes sur la table de nuit et les posa lentement sur son nez.

— Tu ne peux pas faire ça! lança-t-il. Minus est beaucoup trop gentil! Tu ne peux pas le renvoyer là-bas en sachant qu'il finira dans une boucherie!

— Hé, j'ai une bonne idée, s'écria Benoît. On n'a rien de prévu pour demain, n'est-ce pas, Mathieu?

Mathieu fit signe que non.

— Alors, pourquoi ne pas nous occuper de Minus? On pourra lui donner son biberon et jouer avec lui pour qu'il ne se sente pas trop seul.

— Je pourrai aussi lui enseigner quelques trucs, ajouta Mathieu. On dit dans la revue que les cochons sont très intelligents.

— C'est faux, s'écria Benoît. Les cochons sont bêtes.

— Non, répliqua Mathieu, ils sont très intelligents!

— Si les cochons sont intelligents et que toi, tu es si intelligent, alors vas-y, essaie de lui enseigner des trucs. Je parie que tu ne le peux pas!

— Je parie que si!

— Non!

— Oui!

— Pourquoi ne pas faire l'expérience, dit Valérie en souriant. Mathieu, tu es encore ici pour huit jours. Tu crois pouvoir montrer quelque chose à Minus avant de rentrer à New York?

— J'en suis certain, répondit Mathieu. Mais l'article précise qu'on peut arriver à faire obéir les cochons en leur donnant une récompense à la fin des exercices, comme des biscuits aux brisures de chocolat. Minus, lui, ne boit que du lait.

— Il est assez vieux pour être sevré, expliqua rapidement Valérie. Benoît et toi, vous pouvez m'aider à le sevrer. Essaie de lui donner un de tes biscuits...

Mathieu prit un biscuit sur le plateau et le tendit à Minus. Valérie, Mathieu et Benoît regardèrent Minus renifler le biscuit. Ils éclatèrent de rire en voyant le cochonnet prendre une toute petite bouchée.

— Il aime ça! s'écria Benoît.

— Naturellement, dit Valérie. Madame Gobeil fait les meilleurs biscuits du monde.

— Vous nourrissez ce cochon avec les biscuits de madame Gobeil? demanda le docteur en s'approchant du lit de Mathieu.

Personne ne l'avait entendu venir.

— On dirait bien que ce jeune coquin aime ça, ajouta-t-il.

— Oncle Antoine, on va garder Minus demain, Benoît et moi, s'empressa de dire Mathieu. Et je vais commencer à lui montrer quelques trucs.

— On va lui montrer des trucs, précisa Benoît. Mathieu dit qu'il peut le faire seul, mais il ne connaît rien aux animaux, alors, je ferais mieux de l'aider.

— C'est une excellente idée! s'exclama le docteur en faisant un clin d'oeil à Valérie. Je vais vous dire une chose. Si vous réussissez à montrer trois trucs à ce petit cochon avant que Mathieu ne rentre à New York, je vous inviterai tous à la crémerie Cloutier et vous pourrez manger autant de crème glacée que vous en voudrez.

— Pourvu que ce ne soit pas au chocolat, dit Mathieu. Je suis vraiment allergique au chocolat.

— Moi, pas, précisa Benoît.

— Moi non plus, ajouta Valérie.

— Tiens, Minus, dit Mathieu en tendant un autre biscuit au cochonnet. Tu en veux encore?

Minus grogna et se débattit pour quitter les bras de Valérie.

Mathieu éclata de rire.

— Quand je vais raconter ça à mes parents... que j'ai eu un cochon dans mon lit! Ils ne me croiront jamais!

Valérie fut la première à entendre le téléphone sonner.

— Je réponds, cria-t-elle en se précipitant dans l'entrée.

— Valérie? C'est moi, Coralie!

— Coralie! s'écria Valérie. Comment vas-tu? Tu t'amuses bien?

— Comme jamais je ne me suis encore amusée! se vanta Coralie. New York est la plus merveilleuse ville du monde et, ce soir, on va voir un ballet. Aujourd'hui, tante Pierrette m'a fait visiter la Cinquième Avenue. Il y avait plein de magasins... et on a dîné au restaurant! Valérie, j'aimerais tant que tu sois là! Passe-moi papa, veux-tu?

— Papa, c'est Coralie; elle veut te parler, dit

Valérie en tendant le combiné à son père.

Pendant que le docteur parlait à Coralie, Valérie retourna auprès de Mathieu et de Benoît qui jouaient avec Minus.

— Est-ce qu'elle téléphone de la maison? demanda Mathieu. Je pourrais parler à mes parents?

Il sauta en bas de son lit et rejoignit le docteur dans l'entrée. Son oncle lui tendit le combiné.

— Maman, dit-il, tu ne me croiras jamais! Il y a un cochon dans mon lit! Il s'appelle Minus, parce qu'il est très petit. Benoît et moi, on va s'en occuper pendant que Valérie travaillera... Oui maman, il est très propre... Oui, je brosse mes dents trois fois par jour... Oui, je prends mes comprimés contre les allergies et mes vitamines... Oui, tout va bien. Oui, tu me manques aussi. C'est très différent, mais c'est bien, ajouta-t-il en lançant un coup d'oeil à Benoît qui se tenait sur le seuil de la porte. À la semaine prochaine.

« Oh, fantastique! pensa Valérie. Finalement, tout va peut-être rentrer dans l'ordre. »

CHAPITRE 7

Lorsque Valérie se leva, le lendemain matin, elle eut un instant d'hésitation avant de confier Minus à ses deux gardiens. Benoît et Mathieu ne connaissaient rien aux cochons, et encore moins aux bébés cochons. Et s'ils jouaient trop rudement avec le petit animal et qu'ils le blessaient?

Valérie s'agenouilla près de la boîte de Minus, qu'elle avait tapissée d'une vieille serviette douce. Sous la serviette, elle avait placé un coussin chauffant pour qu'il n'ait pas froid. Minus grogna et s'excita quand elle tendit la main pour le caresser. Il se mit tout de suite à sucer le doigt de Valérie.

— Tu as faim, hein? dit Valérie en riant. Tu vas devoir attendre quelques minutes, le temps que je m'habille. Ensuite, on descendra déjeuner. Je vais te préparer un mélange délicieux. Ce ne sera pas aussi bon que les biscuits de madame Gobeil, mais tu devrais aimer ça.

Comme toujours, Siméon avait dormi sur le lit de Valérie. Il se mit à bâiller, à s'étirer, puis bondit près de la boîte de Minus. Le gros chat orange se leva sur ses pattes arrière et posa ses pattes avant sur le bord de la boîte. Son museau rose rencontra le groin de Minus et les deux animaux se reniflèrent avec prudence. Siméon était aussi gros que le cochonnet, et même plus grand, si on comptait la queue.

Soudain, Minus fit un mouvement vers le chat, faisant verser sa boîte. Siméon courut vers la porte, Minus sur les talons. Valérie réussit de justesse à rattraper le cochonnet. Celui-ci se mit à grogner et à se débattre.

— Doucement, Minus, dit Valérie qui avait de la difficulté à le retenir malgré sa petite taille. Tu n'as pas l'air d'être aussi faible que je le pensais!

— Quel est tout ce grabuge? demanda le docteur encore tout endormi, en sortant de sa chambre.

— Est-ce que c'était Minus? demanda Benoît en passant sa tête dans l'embrasure de sa porte de chambre, suivi de Médor qui, comme d'habitude, avait passé la nuit sous son lit.

— Les cochons ont la voix forte, ajouta Mathieu en sortant de sa chambre, lui aussi.

— Tout va bien, les rassura Valérie.

Elle avait enfin réussi à calmer le petit cochon.

— C'était tout ce qu'il manquait ici, un cochon réveille-matin, fit remarquer le docteur en bâillant et en s'étirant. J'en ai pour une minute, ajouta-t-il en se dirigeant pieds nus vers la salle de bains.

Les yeux lourds de sommeil, Benoît sortit de sa chambre et caressa la tête du petit cochon.

— Bonjour, Minus.

Valérie remarqua qu'il tenait encore son ours

en peluche.

— Ton ours est très beau, dit Mathieu qui avait lui aussi remarqué l'ourson.

Benoît resta figé sur place. Soudain réveillé, il cacha son ours derrière son dos.

— Quel ours? demanda-t-il d'une voix faible.

— Je peux le voir? fit Mathieu.

— Non! cria Benoît en rougissant comme une tomate et en reculant vers sa chambre.

Valérie savait ce que devait ressentir son petit frère. Le fait qu'il dorme encore avec un animal en peluche était un grand secret dans la famille. Benoît avait insisté pour que Valérie et Coralie lui promettent de ne jamais en parler à ses amis parce qu'ils se moqueraient de lui.

— Benoît, attends! s'écria Mathieu. Ne t'en va pas!

Il se précipita dans la chambre de Coralie et en ressortit en brandissant son lapin en peluche. Le lapin n'était pas en meilleur état que l'ours, et un de ses yeux était arraché.

Benoît s'était réfugié dans sa chambre et avait refermé la porte derrière lui. Mathieu cogna poliment.

— Veux-tu ouvrir la porte, s'il te plaît? demanda-t-il. Je veux te montrer quelque chose.

— Ouvre la porte, Benoît, ordonna Valérie.

Aucune réponse.

— Benoît Tremblay, ouvre cette porte immédiatement, s'écria-t-elle.

La porte s'ouvrit juste un peu.

— Quoi?

Mathieu ouvrit la porte toute grande.

— Je te présente Rosco, dit-il en montrant son lapin à Benoît. Je l'ai depuis toujours et je ne peux pas m'endormir sans lui. Je ne voulais pas t'en parler parce que j'avais peur que tu te moques de moi, ajouta-t-il avec un petit sourire gêné.

— Quand j'étais petite, raconta Valérie, c'est moi qui dormais avec l'ours de Benoît. Ensuite, je l'ai passé à Coralie et elle l'a donné à Benoît.

Benoît se tenait devant la porte. Il regarda Mathieu, puis Valérie. Puis, lentement, sortit son ours de sa cachette.

— Je ne me moquerai pas de toi si tu ne te moques pas de moi, dit-il à Mathieu.

— Promis, juré, craché, fit Mathieu avec sérieux.

Les deux garçons se regardèrent pendant quelques minutes.

— C'est bien, dit enfin Benoît. Je ne dénoncerai pas un membre de ma propre famille.

— Moi non plus! s'écria Mathieu avec joie.

Valérie serra le petit cochon si fort que celui-ci émit un grognement de protestation.

— Très bien! s'exclama-t-elle. C'est comme ça que des cousins doivent se parler! Le déjeuner sera prêt dans environ une demi-heure.

Mathieu retourna dans la chambre de Coralie.

— Valérie, dit-il en passant devant elle, si tu es d'accord, je ne mangerai pas de bacon ce matin. Je crois que je n'en mangerai plus jamais, ajouta-t-il en regardant Minus.

— Moi non plus! s'exclama Benoît.

— Je suis entièrement d'accord, fit Valérie folle

de joie. Que diriez-vous de céréales et de fruits frais ?

— Mmmm, ça va être bon, fit Benoît en balançant son ours par une patte.

— Ça me va, à moi aussi, approuva Mathieu en serrant Rosco très fort.

— Au suivant ! annonça le docteur en sortant de la salle de bains.

— C'est mon tour !

Valérie déposa Minus dans sa chambre et courut prendre la place.

— Mathieu et moi, on ira après, Valérie, lança Benoît.

— Mais qu'est-ce que tu vas faire de Minus quand il sera grand ? demanda Carole à Valérie, plus tard dans l'après-midi.

Les deux jeunes filles venaient de rentrer du cinéma. Elles buvaient du jus en attendant que leur maïs soufflé soit prêt.

— Je n'y ai pas encore pensé, admit Valérie. J'étais tellement surprise quand monsieur Lupa me l'a offert et quand papa m'a dit que je pouvais le garder que je n'ai pas pensé plus loin.

— Lorsqu'il sera grand et bien gras, je suppose que monsieur Lupa voudra le reprendre, dit Carole en retirant le beurre de la cuisinière.

— Oh, c'est possible. Il voudra le reprendre et le transformer en charcuterie, répondit Valérie. Mais il n'en est pas question ! Je vais lui trouver un endroit où il sera traité comme un animal domestique, pas dans le but d'en faire de la chair à saucisses, des pâtés, du jambon ou des côtelettes.

— C'est une pensée plutôt morbide, fit Carole en agitant la casserole du maïs soufflé. C'est prêt, ajouta-t-elle en versant le beurre fondu. Tiens, tu en veux?

— Mmmm, c'est bon! marmonna Valérie, la bouche pleine de maïs soufflé encore chaud. Je pensais à la Ferme des animaux sauvages. Ils ont pris Gigi et Léo. Ils seront peut-être intéressés à ajouter un cochon à leur zoo.

— Peut-être, approuva Carole. Mais une guenon et un lionceau ne sont pas des animaux ordinaires. Un cochon... eh bien, un cochon, c'est juste un cochon, tu comprends?

— Sauf Minus. Minus est différent. Il est très intelligent, ça se voit au premier coup d'oeil.

— Allons, Valérie, ce n'est encore qu'un cochonnet. Comment peux-tu affirmer qu'il est intelligent? demanda Carole.

— Je le sais, c'est tout, s'entêta Valérie. Benoît et Mathieu vont lui enseigner quelques trucs. Je suis certaine qu'il peut apprendre très vite.

— Quelle sorte de trucs? Ceux que l'on montre aux chiens — à s'asseoir, à tourner sur lui-même, à faire le mort?

— Crois-moi, répondit Valérie. Les cochons sont aussi intelligents que les chiens, sinon plus. Et si Minus apprend quelques trucs simples, il sera un cochon très spécial, et la Ferme des animaux sauvages acceptera de le garder.

— C'est bon, soupira Carole. J'ai assez entendu parler de Minus, le cochon merveilleux. Parlemoi de ton petit cousin. Est-ce que Benoît et

Mathieu s'entendent bien?

— Euh... hésita Valérie. Oui et non. Je devrais peut-être dire non et oui.

— Qu'est-ce que ça veut dire?

— Que je n'en suis pas certaine. Les deux derniers jours ont plutôt été horribles. Mathieu est totalement différent de Benoît. Il ressemble plus à un robot qu'à un enfant! Il a des manières irréprochables, il ne s'intéresse pas aux sports, il lit tout le temps, il est allergique au chocolat et... il est un enfant unique, alors je pense que ça explique tout.

— Merci bien! s'exclama Carole en lançant un regard sombre à son amie. Je suis moi aussi une enfant unique, ne l'oublie pas. Est-ce que j'agis comme un robot?

— Quelquefois seulement, répliqua Valérie en riant.

Carole lui lança un morceau de maïs soufflé. Valérie l'attrapa et le mangea.

— Je blague, admit-elle. Mais Mathieu vient d'une grande ville. Il demeure en appartement, dans un énorme immeuble. Il ne peut pas courir dehors et jouer comme un enfant normal. Il doit attendre l'ascenseur, et chaque fois qu'il veut aller quelque part, il doit être accompagné. Et ce qui est le plus étrange dans tout ça, c'est que ça lui plaît! Il s'ennuie énormément de chez lui. Hier soir, il a beaucoup pleuré. Ses parents lui manquaient. Même le portier de l'immeuble où il demeure lui manquait!

— Ça me paraît vraiment bizarre, c'est vrai, reconnut Carole. C'est donc un vrai désastre?

— Oui et non, répéta Valérie. Hier soir, on avait l'impression que la seule chose qu'il nous restait à faire avec Mathieu, c'était de le mettre dans le premier train qui repartirait vers New York. Ensuite, j'ai pensé que Benoît et lui pourraient peut-être s'occuper de Minus aujourd'hui, pendant que je serais partie. Mathieu a aimé Minus dès qu'il l'a vu, et il sait à quel point les cochons sont intelligents. Benoît a parié que Mathieu serait incapable de lui enseigner des trucs et Mathieu a relevé le défi. Ce matin, les garçons semblaient s'entendre un peu mieux, mais je ne les ai pas revus de la journée. J'espère que tout se passe bien, dit-elle en regardant l'horloge de la cuisine.

— Madame Gobeil était là aujourd'hui, non? demanda Carole.

— En effet, comme d'habitude.

— Alors, tout va bien. Allons voir comment ça se passe chez toi! suggéra-t-elle. Si tu peux, bien entendu, te passer de mon délicieux maïs soufflé.

Valérie rafla les quelques morceaux qui restaient.

— Je n'ai pas arrêté d'en manger, hein? Ce doit être l'influence de Minus, je suppose. Tu as eu une excellente idée, Carole, mais je dois me laver les mains, avant. Elles sont toutes graisseuses.

Quelques minutes plus tard, les deux amies enfourchaient leurs bicyclettes et se dirigeaient vers la grosse maison de pierre des Tremblay. C'était une journée chaude et ensoleillée. Des tulipes et des jacinthes commençaient à pousser devant les maisons. Comment Mathieu pouvait-il ne pas aimer tout ceci ? se demanda Valérie. Elle était certaine qu'il n'y avait rien d'aussi beau à New York. Elle se dit encore une fois, en sentant une douce brise caresser ses cheveux, qu'elle ne voudrait jamais vivre ailleurs.

Son coeur ne fit qu'un bond lorsqu'elle tourna dans l'entrée, chez elle. Elle vit Mathieu courir très vite et Benoît qui le poursuivait de près. Elle s'arrêta juste quand Benoît attrapa Mathieu, le saisit et le renversa par terre. Les lunettes de Mathieu furent projetées à quelques centimètres de la roue de sa bicyclette.

— Je t'ai eu ! cria Benoît.

— Benoît, hurla Valérie. Laisse ton cousin tranquille ! Ça va, Mathieu ? demanda-t-elle en se précipitant vers le garçon.

Elle s'attendait à voir le jeune visage inondé de larmes.

— Je vais bien, Valérie, dit Mathieu en lui souriant. Benoît m'expliquait seulement comment jouer au football et je viens de faire un circuit !

— Ce n'était pas un circuit, niaiseux ! s'exclama Benoît. Tu ne connais vraiment rien !

Mathieu se releva, serrant le ballon de football contre sa poitrine. Ses cheveux étaient tout décoiffés et sa chemise couverte de boue. Son jean si soigneusement repassé avait un accroc. Médor et Cascade lui sautèrent dessus et se mirent à lui lécher le visage.

— Ça suffit ! s'écria Mathieu. Hé, Benoît, on recommence ? Cette fois-ci, c'est toi qui prends le ballon.

Mathieu tendit le ballon à Benoît. Celui-ci le rangea sous son bras.

— D'accord. Viens, Matt, tu peux m'attraper!

Les chiens aboyaient à pleins poumons, sautant sur Valérie et sur Carole qui venaient de ranger leurs bicyclettes.

— Qui est-ce? demanda Mathieu à Valérie en regardant Carole.

— C'est ma meilleure amie, Carole, expliqua Valérie. Carole, je te présente notre cousin, Mathieu.

— Appelle-moi Matt, dit Mathieu en lui tendant une main toute sale. C'est comme ça que Benoît m'appelle.

Valérie ramassa les lunettes de Mathieu et les lui tendit.

— Merci, Valérie, dit Mathieu en les plaçant soigneusement sur son nez.

— C'est presque mon autre soeur, expliqua Benoît en lançant le ballon de football à Carole. J'ai tellement de soeurs que je ne sais plus quoi en faire!

— Et j'ai tellement de frères que je ne sais plus quoi en faire! lança Valérie en riant et en chatouillant Benoît.

— Tu n'as qu'un seul frère, rigola Benoît.

— Je le sais, mais c'est suffisant pour que je ne sache pas quoi en faire.

Valérie lâcha Benoît et sourit à Carole.

Mathieu releva son jean et remarqua l'accroc au genou.

— Oups, j'ai déchiré mon pantalon.

Son visage, un instant soucieux, se détendit et

s'illumina d'un large sourire.

— Mais ça ne fait rien, madame Gobeil peut le réparer, hein, Benoît?

— Tu peux en être sûr, dit Benoît. Viens, Matt, il faut nourrir les lapins, mes poulets et le stupide canard de Valérie.

— Archibald n'est pas un canard stupide! s'indigna Valérie. Et où est Minus? Je pensais que vous deviez lui enseigner quelques trucs.

— On a commencé, dit Benoît. On lui a montré à donner la patte s'il voulait un biscuit de madame Gobeil.

— Chez les cochons, on appelle ça le pied, pas la patte, corrigea Valérie.

— Mais Minus ne sait pas comment ça s'appelle. On lui a enseigné la patte, alors il pense qu'il a des pattes. C'est comme ça qu'on l'a montré à Médor.

— Allons nourrir les animaux, dit Mathieu. Au revoir, Valérie. Au revoir, Carole. Tu peux me rendre le ballon de football?

— Bien sûr, dit Carole en lançant le ballon en direction de Mathieu.

— Hé, tu l'as attrapé! s'écria Benoît. Tu fais des progrès, Matt.

— J'essaie d'en faire, répondit Mathieu en suivant Benoît vers le garage où se trouvaient les enclos des lapins, des poulets et du canard.

— Je ne comprends pas pourquoi tu me disais cela, tout à l'heure, Valérie, fit remarquer Carole en regardant les deux garçons s'éloigner. Mathieu me semble tout à fait normal.

— Oui, c'est vrai, approuva Valérie.

Benoît et Mathieu disparurent dans le garage suivis de Médor et de Cascade.

— Allons voir comment madame Gobeil se débrouille avec Minus, suggéra Valérie.

— Je me demande si elle aime avoir un cochon qui court dans la maison, songea Carole.

CHAPITRE 8

Valérie et Carole entrèrent par la porte d'en arrière. Une odeur délicieuse se répandait dans la maison.

— Bonjour, madame Gobeil. Que faites-vous cuire?

— Bonjour, Valérie. Des biscuits à l'avoine et aux raisins.

Madame Gobeil se pencha et glissa dans le four une plaque pleine de biscuits.

— Il y en a toute une pile sur le plateau, là-bas, dit-elle. Je vous conseille de vite les manger avant que le petit cochon le fasse!

Valérie et Carole se servirent.

— Minus aime vraiment ces biscuits, n'est-ce pas? fit remarquer Valérie.

— Pour ça, il les aime. Je n'ai jamais vu un petit cochon passer si vite de son biberon à de la nourriture solide. Je n'arrête pas de dire à Benoît et à Mathieu de ne pas trop le nourrir, mais dès que j'ai le dos tourné, il manque encore un biscuit ou deux et ce cochonnet a des miettes sur son groin.

— Mais où est Minus? demanda Valérie. Carole

ne l'a pas encore vu.

— Sûrement dans la salle à manger, sous la table, répondit madame Gobeil. C'est là que Mathieu et Benoît l'ont mis quand ils sont sortis dehors. Ce n'est pas normal d'avoir un cochon dans une maison, poursuivit-elle en secouant sa tête blanche. Minus n'est pas malpropre, mais c'est un cochon et les cochons doivent être dans un enclos et pas dans la salle à manger de gens qui se respectent.

— Je le sais, madame Gobeil, dit Valérie, mais j'avais peur qu'il se sente seul et qu'il ait froid en le laissant à la clinique.

Valérie et Carole se dirigèrent vers la salle à manger. Valérie s'agenouilla et passa sa tête entre deux chaises. Minus était là, l'air endormi. Son estomac était tout gonflé.

Valérie le secoua légèrement.

— Debout, Minus. Viens dire bonjour à Carole.

Le cochonnet entrouvrit un oeil et laissa entendre un grognement.

— Regarde-moi ça! s'exclama Valérie en riant. Lorsqu'il dormait, sa queue était aussi droite qu'une aiguille et, dès qu'il s'est réveillé, elle s'est mise à friser. Comme il est mignon!

Valérie prit doucement les pattes avant de Minus et le tira vers elle.

— Viens, Minus. Montre-nous ce que tu as appris.

— Ça c'est encore autre chose, dit madame Gobeil de la porte de la cuisine. Ce n'est pas normal d'enseigner des trucs à des cochons comme s'ils étaient des animaux de cirque. Mais essayez de faire comprendre ça à Benoît et à Mathieu! Pas étonnant que ce pauvre petit cochon soit épuisé. Ils l'ont embêté pour lui montrer à donner la patte. Chaque fois qu'il le faisait, ils lui donnaient un autre biscuit. Il va avoir mal à l'estomac, vous verrez.

— Je peux lui faire faire juste une fois? supplia Valérie. Juste une fois, après, c'est tout. Je ne lui donnerai qu'un seul biscuit, c'est promis.

— Je suppose qu'il n'en est plus à un biscuit près; il en a tellement mangé! s'exclama madame Gobeil.

Carole alla chercher un biscuit dans la cuisine et le donna à Valérie.

— J'adore venir chez toi, Valérie, dit-elle. Il s'y passe toujours quelque chose d'intéressant!

Valérie fit asseoir Minus devant elle et lui montra le biscuit.

— Bien, Minus, donne la patte.

Minus se précipita sur le biscuit, mais Valérie le remit assis.

— Pas avant de m'avoir donné la patte, dit-elle. Allez, Minus, donne la patte!

Cette fois-ci, le cochonnet se mit à renifler, à grogner et à rouler sur le dos.

— Non, non, lança Valérie en le remettant assis et en répétant: Donne la patte.

Minus regarda Valérie, le biscuit, Valérie, puis, lentement, souleva son pied gauche à deux centimètres du sol. Valérie le saisit et le secoua avec enthousiasme.

— C'est bien! s'écria-t-elle. Comme tu es intelligent!

Elle lui donna le biscuit et Minus le goba en deux secondes. Il était si content que sa queue tirebouchonnée s'agita rapidement.

— Il est vraiment intelligent, admit Carole, impressionnée. C'est le petit cochon le plus intelligent que j'aie jamais vu! En y pensant bien, c'est le seul cochon que j'aie jamais vu de près.

— Ce n'est pas normal, marmonna madame Gobeil. Les cochons ne sont pas nés pour faire des tours de cirque.

— Peut-être pas, dit Valérie en regardant madame Gobeil, mais ils peuvent apprendre. Je trouve formidable que Benoît et Mathieu aient réussi à faire ça en une journée.

Madame Gobeil retourna dans la cuisine pour sortir les biscuits du four.

— Peut-être, admit-elle, mais qu'est-ce que ça peut donner de bon à Minus? C'est ça que j'aimerais savoir. Même s'il apprend un tas de trucs, il finira dans une foire comme celle où vous avez trouvé le singe et le lionceau.

— Valérie a dit que la Ferme des animaux sauvages accepterait peut-être de le garder, fit remarquer Carole.

Valérie les avait suivies, tenant Minus dans ses bras.

— Il serait très populaire là-bas, ajouta-t-elle. Les jeunes enfants l'adoreraient.

— Les cochons sont faits pour être sur une vraie ferme, répéta madame Gobeil. C'est là qu'ils sont heureux. Sur une ferme avec d'autres animaux de leur race.

— Mais, madame Gobeil, dit Valérie, s'il finit

sur une ferme, il se retrouvera dans une boucherie! Je ne peux pas laisser une telle chose arriver à Minus.

Madame Gobeil se tourna vers le four en marmonnant.

— Qu'est-ce que vous avez dit, madame Gobeil? demanda Valérie qui n'avait pas compris.

— J'ai dit pas sur ma ferme, répéta madame Gobeil en se tournant vers Valérie.

Minus luttait pour se libérer. Valérie le déposa par terre.

— Sur votre ferme? répéta-t-elle.

— Oui, affirma madame Gobeil. Je vais prendre ce petit cochon et lui laisser vivre une vie normale. J'en ai déjà quelques-uns, des poulets et des vaches, aussi. Je pourrais prendre Minus, aussi. Il n'a pas besoin de connaître des tours, et il ne finira pas dans une boucherie. Je sais ce que tu penses de tout ça, Valérie. J'en prendrai bien soin.

Valérie courut vers madame Gobeil et la serra dans ses bras.

— Vous feriez ça? Vous donneriez un foyer à Minus?

Madame Gobeil embrassa Valérie.

— Bien sûr que je le ferai. Ces trucs que lui montrent Benoît et Mathieu ne lui apporteront rien du tout. D'après ce que j'ai pu voir aujourd'hui, ces garçons en ont appris plus que Minus! Mathieu se dégêne vraiment et Benoît s'amuse bien, lui aussi. D'ici à ce que Mathieu retourne à New York, Benoît et lui seront de très bons amis, et ce petit cochon aura fait sa part dans tout ça. Je pense donc qu'il mérite une maison où personne ne lui fera de mal et où il n'aura pas besoin de faire toutes sortes de choses pour plaire aux gens. Quand Mathieu partira, je prendrai Minus. Mon fils Henri pourra venir le chercher un de ces soirs. Il va sûrement penser que je suis tombée sur la tête, mais je vais m'arranger avec lui.

— Oh, madame Gobeil, merci beaucoup! s'écria Valérie avec joie. Je ne vois pas de meilleur endroit pour Minus. N'est-ce pas merveilleux, Carole?

— Oh, oui! approuva Carole en souriant à madame Gobeil. Allez-vous continuer à lui faire des biscuits?

— Sûrement pas! s'offusqua madame Gobeil. Je ne les faisais pas pour lui. Quand Minus sera chez moi, il mènera une vie de cochon normale et mangera la même chose que les autres cochons. Ils mangent tout ce qu'on leur donne.

Elle jeta un coup d'oeil à Minus qui était assis à ses pieds et grognait. Valérie trouvait que le petit cochon avait l'air de sourire. Il leva son pied droit avec espoir.

— Regardez-moi un peu ce petit quêteux! s'exclama madame Gobeil en s'efforçant de ne pas sourire. Tu veux un autre biscuit, hein?

Madame Gobeil lui offrit un des derniers biscuits qu'elle avait faits. Minus l'engloutit en un rien de temps.

— Il est pire qu'un chien! s'écria madame Gobeil. S'il devient malade, ce sera sa faute. Du moins, ce sera en partie sa faute, corrigea-t-elle en rencontrant le regard amusé de Valérie.

La porte de la cuisine s'ouvrit toute grande, laissant passer Mathieu et Benoît, suivis de Médor et de Cascade.

— Madame Gobeil, lança Mathieu, Benoît m'a laissé nourrir les lapins, et Archibald aussi. J'ai même pris un des lapins dans mes bras. Et je crois que ces lapins aimeraient bien quelques carottes. Y en a-t-il dans le réfrigérateur?

— Il y en a plein, dit Valérie. Elles sont dans le bac à légumes. Prends-en quelques-unes et apporte-les aux lapins.

Mathieu hésita.

— Est-ce que je peux avoir des carottes, madame Gobeil?

— Prends-en autant que tu en veux, dit madame Gobeil en ouvrant la porte du réfrigérateur. Mais après, je veux que vous sortiez de ma cuisine. Comment voulez-vous que je fasse le souper si vous êtes tous dans mes jambes? Benoît Tremblay, plus de biscuits! Valérie, sors ce cochon d'ici tout de suite. Carole, Siméon veut sortir... Siméon! lança-t-elle au gros chat qui venait de sauter sur le comptoir et qui reniflait les biscuits d'un peu trop près. Il n'en restera plus un seul pour le docteur, avec des cochons, des chats et des enfants qui mangent tout ce qu'ils voient.

Carole ramassa Siméon et se dirigea vers la porte. Valérie prit Minus sous son bras et l'amena dans la salle à manger. Benoît prit une poignée de feuilles de salade et suivit Mathieu.

— Hé, Matt, attends-moi! cria-t-il.

Lorsque Carole revint, elle rejoignit Valérie et Minus dans la salle à manger. Le petit cochon se prélassait devant la télévision, grognant de contentement tandis que Valérie lui caressait le ventre. Carole se laissa tomber à côté d'eux.

— Tu es un cochon chanceux, Minus, dit-elle en grattant Minus derrière les oreilles. Tu vas être très bien.

— Il est très chanceux, confirma Valérie. Il nous a porté chance aussi. Sans lui, Mathieu serait toujours une mauviette aux yeux de Benoît, et Benoît serait malheureux.

— Il a eu de la chance de t'avoir, lui aussi, fit remarquer Carole. Il ne sera jamais transformé en chair à saucisses!

Valérie sourit au petit cochon. Minus souriait vraiment, elle en était certaine.

Avant que Mathieu ne retourne à New York, Minus avait appris trois tours. Il savait se coucher, faire des pirouettes et donner la patte. Respectant sa parole, le docteur les invita à la crémerie. Valérie s'amusa de voir Mathieu avaler autant de crème glacée.

Et voilà que l'heure du départ était arrivée. Le docteur, Valérie, Benoît et madame Gobeil accompagnaient Mathieu sur le quai de la gare. Mathieu avait la même allure qu'à son arrivée, mais, en lui, quelque chose avait changé.

— Quand je vais raconter à mes amis que mes cousins ont un cochon dans leur maison et qu'on lui a appris des trucs, tout comme à un chien ! dit-il tout excité. Et que j'ai appris à jouer au football, que je suis allé à la pêche même si je n'ai rien attrapé, et que je me suis occupé des lapins, des poulets, d'un canard et...

— Heu, Mathieu, interrompit le docteur, il serait peut-être préférable de ne pas parler du cochon qui vit dans la maison. J'ai l'impression que tes parents ne seront pas enchantés d'apprendre cela.

— Oh, c'est parfait, mon oncle, je leur en ai déjà parlé au téléphone, expliqua Mathieu. Maman a dit que c'était peu commun. Elle voulait savoir si Minus était propre. Je lui ai répondu que oui. J'ai tellement hâte à l'été prochain, dit-il en se tournant vers Benoît. Quand je reviendrai, j'apporterai ma bombe pour monter Fantôme.

— Et quand j'irai te visiter, coupa Benoît, on ira au zoo et on jouera au jeu d'échecs et...

— Et je demanderai à papa de nous amener au stade voir une vraie partie de base-ball. Peut-être les Yankees contre les Phillies.

— Non, les Yankees ne jouent pas à cet endroit ; ce sera peut-être les Mets.

— Oh, pardon. J'ai encore bien des choses à apprendre avant d'en savoir aussi long que toi sur les sports, avoua Mathieu.

— Oui, c'est vrai, confirma Benoît.

Valérie s'approcha un peu et tendit l'oreille.

— Je crois que j'entends le train, dit-elle.

— Eh bien, Mathieu, que dirais-tu de m'embrasser ? demanda le docteur. Ç'a été vraiment agréable de t'avoir parmi nous.

Mathieu jeta ses bras au cou de son oncle et le serra très fort.

— Merci pour tout, oncle Antoine, dit-il. Tu sais, je vais dire à papa qu'il devrait se laisser pousser la barbe comme toi. Ça donne un air très distingué.

— Un air distingué, hein? répéta le docteur en essayant de garder son sérieux. Merci beaucoup, Mathieu. Personne ne m'a encore fait un tel compliment.

Le train entrait en gare.

— Au revoir, Valérie, dit Mathieu en tendant la main à sa cousine. J'ai vraiment aimé tous tes animaux. Je suis sûr que tu seras une vétérinaire fantastique plus tard, comme ton père.

— Je vais essayer, dit Valérie en ignorant la main qu'il lui tendait. Si ça ne te fait rien, j'aimerais t'embrasser avant ton départ. Benoît me permet parfois de l'embrasser... même s'il trouve cela horrible.

— C'est vrai que c'est horrible, approuva Mathieu, mais pour une fois...

Valérie le serra contre elle et l'embrassa.

— Tu vas me manquer, Mathieu! s'exclama-t-elle en souriant.

Avant qu'il ne lui tende la main, madame Gobeil se pencha et embrassa Mathieu sur les joues.

— Tu es un gentil garçon, Mathieu, dit-elle. Fais un bon voyage. Ne parle pas aux autres passagers et assure-toi que le contrôleur te prévienne lorsque tu devras descendre. Tiens, dit-elle en lui tendant un sac de papier. La nourriture n'est pas bonne dans les trains. Je t'ai préparé un petit casse-croûte. J'y ai aussi ajouté beaucoup de serviettes de papier pour ne pas tacher tes beaux vêtements.

— Merci, madame Gobeil, dit Mathieu. Si je mange tout ça, je vais devenir aussi gros que Minus. Je suis content que vous l'adoptiez. Je suis certain que vous serez très heureux ensemble.

— Hé, Mathieu, fais attention à toi, prévint Benoît. Tu sais, la première fois que je t'ai vu, je croyais que c'était sans espoir, mais tu es correct. Tu n'es pas vraiment une mauviette... ou du moins pas autant que tu l'étais.

— Benoît! s'écrièrent Valérie et le docteur ensemble.

— Ça ne fait rien, dit vivement Mathieu. J'étais une mauviette, c'est vrai, mais j'essaie de m'améliorer. Au revoir, Benoît. On se revoit bientôt.

Les deux garçons se serrèrent sérieusement la main. Le docteur ramassa les valises de Mathieu.

— Allons-y, Mathieu. Il est temps de partir.

Mathieu le suivit. Sur les marches du train, il se retourna et fit un signe de la main. Valérie, Benoît et madame Gobeil lui répondirent. Quelques minutes plus tard, le docteur rejoignit les autres sur le quai et le train s'éloigna doucement.

— Où est-il? Je ne le vois pas! s'écria Benoît en scrutant les fenêtres.

— Il est là! dit Valérie.

Mathieu, le nez écrasé contre la vitre, agitait la main.

— Au revoir, Matt! À bientôt! cria Benoît en

agitant la main à son tour.

Benoît fit des signes jusqu'à ce que le train ne soit plus qu'un petit point au loin. Ses épaules s'affaissèrent soudain.

— Il te manque déjà, hein? demanda Valérie lorsqu'ils se dirigèrent vers la salle d'attente.

— Bien... un peu. Je crois que je m'étais finalement habitué à lui.

— Tu as peut-être envie de manger un petit quelque chose? dit madame Gobeil.

— Comme quoi? demanda Benoît, le visage soudain illuminé.

— Eh bien, j'ai apporté quelques biscuits au caramel, juste au cas, dit madame Gobeil en tendant le sac de papier à Benoît.

— Oh là là! s'écria-t-il. J'avais peur que vous les ayez tous donnés à Mathieu! Hé, papa, on peut acheter du lait? On pourrait les manger en attendant Coralie.

— Je crois que ça pourrait se faire, approuva le docteur en souriant.

En peu de temps, ils s'assirent tous sur les bancs de la gare, dégustant les délicieux biscuits au caramel et buvant du lait.

— Garde le dernier pour Coralie, Benoît, proposa Valérie. Ça fait dix jours qu'elle n'a pas mangé de gâteries de madame Gobeil.

En regardant l'horloge, Valérie se rendit compte que sa soeur arriverait bientôt.

Soudain, elle ne tenait plus en place. Avec les histoires de Mathieu et de Minus, Coralie lui avait manqué un peu moins, mais maintenant, il lui tardait de la revoir. Chaque fois que Coralie leur avait parlé au téléphone, elle était très excitée par son voyage. Elle leur avait aussi envoyé plein de cartes postales ; ils en avaient reçu au moins une par jour.

Madame Gobeil avait épinglé toutes les cartes sur le babillard. Et voilà que Coralie revenait à la maison. Serait-elle différente? se demanda Valérie. Aurait-elle l'air différente? Agirait-elle différemment? Mathieu avait beaucoup changé pendant ces vacances. Et si la Coralie qui descendrait du train était différente de celle qui était partie dix jours plus tôt?

Ne sois pas ridicule! se dit Valérie. Coralie est Coralie. Elle se souvenait des paroles de madame Gobeil au sujet de Minus : « Les cochons sont des cochons. » Cette pensée la fit sourire, mais elle se rendit compte qu'elle ne pouvait pas terminer son biscuit. Elle avait la gorge sèche.

— Tu le veux? Je ne peux pas le terminer, dit-elle à Benoît.

— Oh, oui! s'empressa de dire Benoît.

— Il est temps d'aller sur le quai, annonça le docteur en regardant sa montre. Le train de Coralie va bientôt entrer en gare.

— Vous savez, j'ai vraiment hâte de revoir ma vieille Coralie! s'exclama Benoît. Elle est absente depuis si longtemps que j'ai presque oublié à quoi elle ressemblait.

— Ta propre soeur? riposta madame Gobeil en fronçant les sourcils. Benoît Tremblay, tu n'as pas honte! Coralie aura exactement le même air qu'elle avait quand elle est partie... un ange blond. Elle a dû maigrir, ajouta-t-elle avec inquiétude. Ces personnes, à New York, ne savent pas comment manger. Il n'y a qu'à regarder Mathieu. Il était maigre comme un clou quand il est arrivé. Mais on va s'en occuper. Tu as gardé le dernier biscuit, Benoît?

Benoît fit un signe de la tête.

— Parfait! Et j'ai préparé un bon dîner avec des légumes frais du jardin. On n'a pas de si bonnes choses à New York. Les gens de la ville ne savent pas ce qui est bon!

— Je vous appuie entièrement là-dessus, madame Gobeil, dit le docteur en prenant la vieille dame par le bras. Venez, on veut tous être là quand Coralie descendra du train afin de la voir le plus vite possible!

— Attendez que Coralie voie Minus! s'exclama Benoît en dévalant les escaliers. Elle n'en reviendra pas de tout ce qu'il sait faire!

CHAPITRE 9

— Madame Gobeil, c'est le meilleur repas depuis mon départ pour New York, dit Coralie quelques heures plus tard.

Les Tremblay venaient de terminer leur repas et étaient encore autour de la table. Madame Gobeil s'était assurée que personne ne manque de rien. Bien sûr, Valérie n'avait pas touché à la viande, mais il y avait suffisamment de légumes, sans oublier le dessert extra-spécial — un gâteau au chocolat avec de la crème glacée de chez Cloutier.

— Je l'espère bien ! répondit madame Gobeil. De la vraie cuisine maison, c'est ce qu'il te faut. Ça va te redonner un peu de couleur.

— Coralie n'est pas si pâle que ça, dit le docteur en souriant. On dirait même qu'elle est resplendissante.

Et c'était vrai. Valérie trouvait que sa soeur paraissait plus vieille d'une certaine façon, et beaucoup plus sophistiquée. C'était peut-être parce qu'elle n'avait pas vu sa soeur depuis dix jours, mais Coralie semblait encore plus mince, ses yeux plus grands et ses cheveux blond cendré étaient mieux coiffés que d'habitude... son chignon était tout simplement parfait. Comme elle ressemblait à leur mère! Elle était merveilleuse, comme les princesses de contes de fées. À côté d'elle, Valérie se sentit costaude et maladroite. Elle savait très bien que ses longs cheveux bruns, peu importe la façon dont elle les coiffait, retombaient sans cesse devant son visage. Mais Coralie n'avait pas vraiment changé, pensa-t-elle... peut-être un peu?

— On a mangé des plats incroyables, raconta Coralie. Oncle Jean et tante Pierrette m'ont invitée dans des restaurants super. Les serveurs nous considéraient comme des princes. Il y avait des buffets avec toutes sortes de nourriture. Tout ce que l'on pouvait imaginer et souhaiter. Les chefs portaient de grands tabliers et des gros chapeaux blancs très hauts, et ils nous servaient tout ce qu'on leur demandait. Il y avait des plats bizarres, comme des huîtres.

— Beurk! s'exclama Benoît.

— J'en ai mangé quelques-unes, et ce n'était pas mauvais. Tu sais, les palourdes et les huîtres sont encore vivantes quand tu les manges, et elles se recroquevillent quand tu les arroses de jus de citron!

— Beurk! fit à son tour Valérie en frissonnant. Tu as mangé quelque chose qui était encore vivant?

— Je n'ai pas beaucoup aimé ça, confessa Coralie. Au début, j'ai même pensé que j'allais tout recracher, mais je ne l'ai pas fait, précisa-t-elle avec fierté. Et dans les restaurants japonais, on sert du poisson cru! Et ça ne goûte pas du tout le poisson. Quelqu'un devrait ouvrir un sushi-bar ici, ça ferait sensation!

— Ce n'est pas normal de manger du poisson cru, affirma madame Gobeil en secouant la tête.

— Ce n'était pas aussi délicieux que votre rôti de boeuf, madame Gobeil, s'empressa d'ajouter Coralie. C'est si bon d'être chez soi!

— Vraiment? demanda doucement Valérie.

— Bien sûr que ça l'est! s'écria Coralie. Qu'est-ce que tu as, Valérie? Tu n'arrêtes pas de me regarder comme si tu me voyais pour la première fois.

— Ce doit être parce que tu n'avais encore jamais quitté la maison, expliqua Valérie. Je ne m'étais jamais rendu compte que tu ressemblais tant à maman.

— Qu'y a-t-il de si bizarre à ça? demanda Coralie. Je ressemble à maman, toi, tu ressembles à papa et Benoît, eh bien c'est un mélange des deux. Hé, Benoît, tu es drôlement silencieux. Tu n'es pas content de me revoir?

— Oui, je suis très content, dit Benoît. Mais tu n'as pas tellement été impressionnée par tous les tours que Mathieu et moi avons montrés à Minus.

— Oh, Minus! s'exclama Coralie en riant. Tante Pierrette et oncle Jean ne voulaient pas croire qu'il y avait un cochon dans la maison. À New York, les gens n'ont pas d'animaux comme ça. Je leur ai expliqué que la vie dans les petites villes était très différente et que, lorsqu'on a un père vétérinaire, on s'habitue à avoir toutes sortes d'animaux dans nos jambes. Oncle Jean pensait que c'était plutôt drôle, amusant, un peu bizarre.

— Est-ce que c'est la façon dont tu nous perçois, Coralie? demanda Valérie.

— Peut-être un peu, oui. Tout semble si différent ici, si petit après New York... Il me faudra du temps pour m'y réhabituer.

— Oui, sûrement, approuva le docteur.

— Que dirais-tu de commencer maintenant? demanda Valérie en se levant. Viens, Coralie, on va débarrasser la table. Tu te rappelles comment placer la vaisselle dans le lave-vaisselle?

— Voyons, Valérie, laisse à ta soeur le temps d'arriver! s'exclama madame Gobeil. Cette pauvre enfant vient juste de faire un long voyage en train. Benoît et moi, on va nettoyer, n'est-ce pas, Benoît?

— Ça va, madame Gobeil, dit Coralie. Je ne suis pas du tout fatiguée. Après, je ferai la distribution de cadeaux. C'est tellement amusant de magasiner à New York! Tu n'en reviendrais pas de voir tous ces magasins, Valérie. Lorsque j'y retournerai, cet été, il faudra que tu viennes. Tante Pierrette a dit que Benoît irait visiter Mathieu et elle veut qu'on y aille, nous aussi. Ça va être super!

— Eh bien, Coralie, tu viens juste d'arriver et tu parles déjà de repartir, marmonna Benoît en suivant sa soeur dans la cuisine.

— J'ai plutôt l'impression que tu t'ennuies de New York, dit tristement Valérie.

— Ne sois pas idiote, Valérie, lança Coralie en rangeant les assiettes dans le lave-vaisselle. Je n'habite tout de même pas à New York... Mais un jour, quand je serai une danseuse célèbre...

— Maman était célèbre, et elle ne vivait pas à New York, lui rappela Valérie. Elle est restée ici et a épousé papa.

— Une chance qu'elle a fait ça, ajouta madame Gobeil, sinon, où seriez-vous tous les trois? Je me le demande!

— Hé, au sujet des cadeaux, trancha Benoît, vas-tu nous les donner?

— Bien sûr! s'exclama Coralie en courant dans la salle à manger. Papa, où est ce gros sac en plastique? Tous les cadeaux sont dedans. Venez dans le salon et assoyez-vous.

Le docteur apporta le sac orange et Coralie, rayonnante, se mit à distribuer ses cadeaux. Il y avait un presse-papier en forme de chien pour son père, un agenda sur le base-ball pour Benoît, une broche en forme de fer à cheval pour Valérie et un foulard lilas pour madame Gobeil.

— Je me suis aussi acheté un cadeau, avoua Coralie en leur montrant une affiche du New York City Ballet. Je vais la placer au-dessus de mon lit ou peut-être sur le mur face à mon lit pour que je puisse la voir avant de me coucher et lorsque je me réveillerai.

Après une série de remerciements, le docteur transporta la valise de Coralie dans sa chambre. Benoît alla jouer avec ses amis et madame Gobeil retourna à sa cuisine. Minus y était couché et semblait endormi.

Valérie monta l'escalier et se laissa tomber sur le lit de sa soeur. Au grand plaisir de Coralie, Caruso n'arrêtait pas de chanter.

— Il n'a presque pas chanté depuis que tu es partie, dit Valérie. Il a dû beaucoup s'ennuyer ; je ne crois pas que Mathieu s'en soit bien occupé.

— Je suis contente, s'écria Coralie. J'avais peur qu'il m'ait oublié. Dès que j'aurai fini de ranger mes affaires, je vais appeler Olivia et lui demander de venir. Je lui ai rapporté un cadeau à elle aussi, et j'ai tant de choses à lui raconter ! Ensuite, je lui montrerai ce que j'ai appris dans ce cours de ballet que j'ai suivi. On pourra travailler ensemble.

— Oh, fit Valérie. J'avais pensé que tu aimerais venir avec moi à la clinique. On aurait pu monter Fantôme. Olivia pourrait venir elle aussi.

— Merci, Valérie, mais pas aujourd'hui. À part ce cours de ballet, je n'ai pas fait d'autres exercices. Je sens que mes jambes sont toutes raides. Avant qu'Olivia arrive, je veux aller me réchauffer un peu. Dis bonjour à Fantôme pour moi.

— Oui, je le ferai, commença Valérie en sortant de la chambre de sa soeur.

Soudain, elle s'arrêta et se retourna...

— Coralie...

— Quoi ?

— Es-tu vraiment contente d'être revenue à la maison ?

— Bien sûr que je le suis, dit Coralie en enfilant son collant. Tu ne me crois pas ?

— Oui, je te crois, répéta Valérie.

Mais en quittant la chambre, elle avait tout de même un léger doute.

— Allô, Valérie. Tu viens voir Fantôme ?

demanda Étienne lorsqu'il vit la jeune fille dans l'étable, une demi-heure plus tard.

Valérie avait laissé sa bicyclette dehors et se dirigeait vers la sellerie.

— Oui, Étienne, dit-elle.

— Coralie est bien rentrée?

— Oui. Elle a passé un séjour fantastique à New York.

Valérie commença à seller Fantôme.

— Qu'est-ce qu'il y a, Valérie? demanda Étienne en s'appuyant contre sa fourche. Tu as l'air déçue.

— Oh, je ne sais pas... ou plutôt je le sais très bien. C'est Coralie. J'avais peur qu'elle nous revienne changée, et c'est arrivé. Je ne pense pas que les autres l'aient remarqué, mais moi, si.

— Changée? Que veux-tu dire? « Urbanisée »?

— C'est exactement ça, Étienne. Elle est tout à fait urbanisée, comme tu dis. Elle nous trouve vieux jeu! précisa-t-elle en passant la bride pardessus la tête de Fantôme.

— Vieux jeu, hein? répéta Étienne. On l'est peut-être. Ça ne me semble pas si mal.

— Oui, mais c'est la façon dont elle l'a dit qui m'a déçue. Comme si nous n'étions pas du même côté qu'elle. Nous faisons partie de la même famille.

— Bien entendu, dit Étienne. Ça va s'arranger, Valérie, attends, tu vas voir. Profite de ta promenade et chasse toutes ces idées noires de ta tête. Je suis certain que lorsque tu retourneras chez toi, Coralie sera redevenue la même personne qu'il y a dix jours.

Valérie sauta en selle.

— J'espère que tu as raison, Étienne, dit-elle en souriant au vieil homme. À plus tard.

Elle donna un petit coup de talon à Fantôme et sortit de la ferme. Comme elle se sentait bien lorsqu'elle montait son cheval, indépendamment de ce qui lui trottait dans la tête. Cette petite discussion avec Étienne lui avait fait beaucoup de bien aussi. Le temps était fantastique. Dire que Coralie préférait faire des exercices d'assouplissement dans un sous-sol par une belle journée comme celle-là! Elle poussa Fantôme pour qu'il se mette à trotter.

— Je m'en fais probablement pour rien, dit-elle à son cheval. Plus d'idées noires, ajouta-t-elle en prenant une grande bouffée d'air frais.

Fantôme bougea les oreilles comme s'il l'approuvait.

Ce soir-là, Valérie fit ses adieux à Minus. Le fils de madame Gobeil venait le chercher.

— Je lui ai bien dit que ce n'était pas nécessaire de venir avec son camion pour un petit cochon, racontait madame Gobeil. Tu n'as qu'à faire comme s'il était un chien. Son chien le suit partout en voiture.

Un klaxon se fit entendre à l'extérieur.

— Le voilà. Il est temps de partir, petit, dit madame Gobeil en tirant doucement sur la laisse.

— Je vais m'ennuyer, avoua Benoît en regardant le petit cochon grimper sur le siège arrière. Mathieu et moi, on s'est tellement amusés avec lui!

— Il va me manquer, à moi aussi, dit Valérie. Les cochons sont vraiment de bons animaux domestiques.

— Mais il ne faut pas oublier que Minus sera sûrement plus heureux parmi d'autres cochons, précisa le docteur. Et vous savez que madame Gobeil sera contente lorsque vous irez lui rendre visite.

— Moi, je suis plutôt contente qu'il soit parti, soupira Coralie. Oh, Valérie, ne me regarde pas comme ça. C'est un bon petit cochon, mais je ne le connais pas beaucoup. De toute façon, tu dois admettre que c'est un peu spécial d'avoir un cochon dans une maison. Olivia n'a rien dit quand elle l'a vu dans le salon, mais je suis certaine qu'elle a trouvé ça plutôt bizarre.

Le docteur s'installa dans son fauteuil préféré pour lire son journal.

— Eh bien, ma chérie, je peux te promettre que Minus sera le premier et le dernier cochon à mettre les pattes dans cette maison. Tu pourras garder la face devant tes amis, à l'avenir.

— C'était un peu gênant, avoua Coralie. Dans l'immeuble de tante Pierrette et oncle Jean, les animaux ne sont pas admis.

— Pas même des serins? demanda Benoît.

— Je n'en suis pas certaine, répondit Coralie. Mais sûrement pas de cochons! Quand je serai grande et que je vivrai à New York...

— Oh, Coralie, tu ne peux pas parler d'autre chose? s'écria Valérie. Depuis que tu as remis les pieds ici, c'est New York par-ci, New York par-là!

On dirait que tu n'es pas contente d'être revenue. Étienne avait raison... tu es une vraie fille de la ville!

— Du calme, Valérie, dit le docteur en déposant son journal. Laisse à Coralie la chance de se replacer. Ce n'est pas étonnant qu'elle ait l'impression d'être dans un trou perdu après les dix jours qu'elle vient de passer dans une grande ville comme New York.

— Nous ne sommes pas dans un trou perdu, protesta Valérie. C'est chez nous, ici! C'est autant chez Coralie que chez toi ou chez Benoît ou chez moi!

— Mais je sais tout ça, Valérie, fit Coralie. Et ce n'est pas parce que c'est là que nous habitons que c'est un endroit parfait!

— Oui, ça l'est, dit posément Valérie. Je ne veux vivre nulle part ailleurs.

— Moi non plus, ajouta Benoît. Tu sais, précisa-t-il en regardant longuement Coralie, j'ai beaucoup pensé. Quand Mathieu est arrivé, il était un peu collet monté, un enfant de la ville... je le trouvais vraiment idiot. Mais quand il est parti, il était bien. Quand tu es partie, Coralie, tu étais très bien et maintenant, tu es comme Mathieu quand il est arrivé. Tu devrais peut-être changer de place avec Mathieu. Mathieu pourrait déménager ici et toi, tu prendrais sa place à New York.

Coralie, surprise, éclata en sanglots.

— Benoît! s'écria-t-elle. Tu veux m'échanger contre Mathieu?

— Ce n'est pas vraiment ce que je veux dire, marmonna Benoît, mais on dirait bien que c'est ce que tu veux.

Coralie courut se jeter dans les bras de son père.

— Papa, tu as entendu ? Benoît veut m'échanger comme... comme on échange une voiture usagée! Et Valérie est fâchée contre moi! Personne ne m'aime donc plus ?

Médor et Cascade qui s'étaient tenus tranquilles jusque-là commencèrent à japper très fort. Siméon se mit à faire le gros dos. Valérie l'attrapa et le caressa doucement.

— Je ne suis pas fâchée contre toi, Coralie, expliqua-t-elle, une boule dans la gorge. Tu es ma soeur et je t'aime beaucoup. Mais je craignais que tu sois différente en revenant, et tu l'es. Je voudrais juste que les choses soient telles qu'elles l'étaient quand tu es partie!

— Valérie, viens ici, dit le docteur en se levant et en serrant Coralie dans ses bras. Et toi aussi, Benoît.

Valérie déposa Siméon et alla voir son père, suivie de Benoît. Le docteur les enlaça tous les trois.

— Coralie, dit-il doucement, personne n'avait pensé que ton arrivée tournerait comme ceci. Tu souffres de ce qu'on pourrait appeler un choc culturel, et nous, on est dans le même bateau que toi. On aimerait que tu sois la petite fille que tu as toujours été... on ne veut peut-être pas que tu grandisses. Et ce n'est pas correct. Tout le monde doit grandir, et ça ne veut pas dire simplement devenir plus grand et plus intelligent. Mais toi, tu as beaucoup grandi en très peu de temps, et ça va nous prendre un certain temps pour que nous l'acceptions.

Coralie essuya ses yeux sur la chemise de son père.

— Mais Benoît a dit... sanglota-t-elle.

— Ce n'était qu'une blague, dit Benoît. Je ne veux pas vraiment t'échanger contre Mathieu. Mathieu devient très intéressant, mais je n'aimerais pas qu'il vive ici tout le temps. En plus, ajouta-t-il en souriant, les petits déjeuners n'étaient pas très réussis pendant que tu étais partie. Mathieu ne sait pas cuisiner et Valérie faisait tout brûler!

— Valérie fait brûler n'importe quoi, même avec le four à micro-ondes, lança Coralie.

— C'est vrai, admit Valérie en serrant sa soeur contre elle. Je suis vraiment très mauvaise cuisinière. Mais ce n'est pas juste pour ça que je suis contente que tu sois revenue. Si tu le veux vraiment, je t'accompagnerai à New York cet été. Je dois savoir pourquoi cette grande ville est si excitante. Comme ça, quand tu seras célèbre, je pourrai aller te visiter chez toi, même si les animaux sont interdits.

— Je n'habiterai pas là où je ne peux pas avoir de serin, précisa Coralie en reniflant. Et si tu arrives avec un cochon, eh bien, ça n'aura pas d'importance.

— Je te promets de ne jamais aller te visiter avec un cochon, lança Valérie en éclatant de rire. Par contre, j'irai peut-être avec Siméon.

Le docteur serra ses trois enfants contre lui.

— Bienvenue à la maison, Coralie, dit-il.

— Bienvenue à la maison, répéta Valérie.

— Oui, bienvenue, lança à son tour Benoît, mais ce ne serait pas, par hasard, l'heure du souper ? Je meurs de faim...

— Moi aussi ! s'exclama Coralie en riant. Je vais préparer quelque chose à manger. Tu veux m'aider, Valérie ?

— Oui, pourquoi pas ?

Valérie posa son bras autour des épaules de sa soeur et la serra contre elle.

— Et après le souper, dit-elle, tu pourras m'aider à nourrir les lapins.

Bras dessus bras dessous, les deux soeurs se dirigèrent vers la cuisine.

Dans la même collection

L'auberge des animaux, Tome I
Le rêve de Valérie

L'auberge des animaux, Tome II
Le meilleur ami d'Arnaud

L'auberge des animaux, Tome III
Les espiègleries de Gigi

L'auberge des animaux, Tome IV
Benoît et l'enfant terrible

L'auberge des animaux, Tome V
Des animaux a adopter

L'auberge des animaux, Tome VI
Un cochon dans la maison